나의 한국사 편력기

교양인이라면 놓칠 수 없는 영화 속 명장면

나의 한국사 편력기

교양인이라면 놓칠 수 없는 영화 속 명장면

박준영 지음

서울경제경영

| 책을 내며 |

눈이 펑펑 내리던 날, 일본대사관 앞 소녀상을 찾았다. 따뜻한 겨울이 계속 되더니 이 날은 겨울답게 추웠다. 소녀상은 누군가 해준 목도리와 모자를 쓰고 있었다. 소녀상의 얼굴은 전통적인 한국의 소녀 얼굴은 아니다. 자칫 차갑게도 느껴지는 인상이지만 가만히 들여다 보고 있으면 슬픔이 가득 눈매에 담고 있음을 느낄 수 있다. 청춘이 못내 아쉬워서일까? 아니면 못난 후손이 원망스러워서 일까?

과연 역사란 무엇일까? 역사가 무엇이길래 한국사 교과서 하나로 온 나라가 들썩거리고 위안부 문제로 한일 두 정상들이 연일 신경전을 펴야 하는 걸까?

역사가 지나간 과거의 기술뿐이라면 현재에 살고 있는 우리들이 이렇게 매달려야 할 이유가 없어 보인다. 하루가 다르게 세상은 변하고 먹고 살기 팍팍한 요즘에 무슨 역사 타령인가 말이다. 그러나 영리한 사람은 알 것이다, 역사를 누가 쥐고 있고 어떻게 해석되느냐에 따라 우리의 현재와 미래가 좌우된다는 것을. '현재를 지배하는 자는 과거를 지배하고 ,과거를 지배하는 자는 미래를 지배한다'고 조지오웰은 갈파했다.

수능과목에 한국사가 필수과목이 된 건 만시지탄이나 그래도 다행이다. 요즘 학생들은 영어 , 수학에는 관심을 갖고 공부를 하지만 임진왜란과 병자호란을 구별하지 못한다. 한국전쟁과 5.18광주민주항쟁의 기원과 영향을 말하지 못한다. 이제 수능 필수과목으로 지정되었으니 많이 나아지리라 생각한다. 그러나 아직도 역사를 부담스러워 하는 일반인과 학생들 또한 많다. 역사공부는 해야겠는데 너무 어렵거나 멀리 있다.

이 책을 쓰게 된 이유도 여기에 있다. 역사책은 읽지 않아도 영화는 본다. 천만 영화라면 그래도 대부분의 '교양' 있는 사람들이라면 한 번쯤 봤겠지? 그중에 사극영화를 모아 한국사의 나들목 역할을 해보면 어떨까 하여 졸고를 기획하게 되었고 내 능력과는 관계없이 몰두하게 되었고 한 권의 책으로 나오게 되었다. 여기서 교양이란 에티켓이나 예의범절을 뜻하지 않는다. 사회적인 일이나 사건을 봤을 때 판단하는 분별력이다. 최소한 옳고 그름 정도는 자기 목소리로 자신있게 말할 수 있는 '교양인'이 되기 위해선 그래서 역사공부가 필요하다.

한국영화의 최고 흥행기록은 이순신 장군의 명량대첩을 소재로 한 〈명량〉이 있고 천만 영화거나 거기에 육박하는 영화들을 나열해 봐도 〈왕의남자〉 〈관상〉 〈암살〉 〈사도〉 〈광해〉 등이 있다. 근현대사를 다룬 영화로는 〈국제시장〉 〈변호인〉도 있다. 이렇듯 역사는 영화의 보물같은 소재를 제공해 줬고 앞으로도 그럴 것이다.

이 책은 영화를 통해 한국사를 이야기하고자 한다. 다가가기 쉬운 것부터 시작해야 결국 어렵고 힘든 부분이 나와도 재미를 갖고 극복해 낼 수 있다고 믿는다. 물론 사극영화의 내용이 사료에 기반했거나 팩트만을 보여주지 않는다, 오히려 사실을 전복하고 비틀며 희화화 하기도 한다. 그러나 영화를 본 사람이건 아니건 이 책을 읽고 영화를 다시 보고 한 번 더 이 책을 읽어 준다면, 그래서 화석화된 역사를 넘어 생생한 역사를 알아가는 재미를 느낀다면 저자로서 소기의 성취를 얻은 것이다. 이 책을 읽은 독자들이 더 전문적인 역사서를 뒤적거리게 되거나 사극 영화 한 편을 보더라도 아는 만큼 볼 수 있다면 더 할 나위 없겠다.

2016년 봄, 행신의 작업실에서

저자 박준영

CONTENTS_

| 삼국시대 |

1 황산벌과 평양성에서 바라본 삼국의 역사 11
〈황산벌〉〈평양성〉

| 고려시대 |

2 남녀상열지사로 풀어본 고려말의 풍경 27
〈쌍화점〉

| 조선시대 |

3 조선개국 권력투쟁 속에 빛나는 사나이 순정 41
〈순수의 시대〉

4 세조의 관상은 역모의 상인가? 53
〈관상〉

5 연산, 여인들 그리고 간신 65
〈간신〉

6 슈퍼스타 이순신, 백전백승의 신화 81
〈명량〉

7 비운의 광해군, 복권을 꿈꾸다 99
〈광해〉

8 병자호란의 위대한 신궁 113
〈활-최종병기〉

9 조선왕조, 비극의 가족사 127
〈사도〉

10 사도세자 아들, 화성에서 꿈꾸다 141
〈역린〉

11 나는 조선의 국모다 153
〈불꽃처럼 나비처럼〉

| 일제강점기 |

12 조선의 마지막 호랑이 171
〈대호〉

13 누군가 기억해야 할 눈물 183
〈암살〉

| 근현대사 |

14 해방 후 역사의 진실을 찾아 199
〈태백산맥〉

15 지금도 계속되는 분단의 역사 213
〈태극기 휘날리며〉

16 시대의 어둠을 넘어 민족의 십자가를 지며 225
〈화려한 휴가〉

17 우리 아버지들의 눈물 나는 이야기 239
〈국제시장〉

18 산업화이어 민주화를 이룩해낸 대한민국 253
〈변호인〉

삼국시대

〈황산벌〉 & 〈평양성〉

황산벌과 평양성에서 바라본 삼국의 역사

이준익 감독의 영화 〈황산벌〉은 여느 사극영화와는 다른 콘셉트이다. 영화는 하나의 아이디어와 불현듯한 상상력으로 출발한다. 삼국시대, 고구려, 백제, 신라 사람들은 의사소통이 자유로웠을까? 그랬다면 지금처럼 각 지역의 사투리로 이야기를 했을까? 사투리로 회의하고 전쟁을 했다면 어떤 모습이었을까? 이런 궁금증이 결국 한 편의 영화로 만들어진다.

옛 문헌을 들여다보면 삼국시대 역시 지금처럼 각 지역의 사투리를 쓴 건 맞다. 물론 지금 쓰고 있는 사투리와는 다소 차이가 있을 것이다. 그러나 분명한 건 삼국시대 사람들끼리 대화할 때 통역을 쓰지 않았다는 사실이다. 중국의 〈양서〉 신라전을 보면 법흥왕 때 신라 사신이 백제 사신을 따라 중국의 양나라를 방문한 적이 있다. 양나라의 대신들이 신라 사신을 접견할 때 "언어는 백제인의 통역을 거친 뒤에야 통했다"고 적혀 있다. 당시 신라어와 백제어가 서로 달랐다면 통역은 쉽지 않았을 것이다. 중국인의 관점에서 본 〈양서〉에 따르면 백제나 신라나 나라별 특징으로 보건대 큰 차이점이 없었고 언어가 비슷했다는 것을 사료는 방증한다.

이런 시각을 바탕으로 지금보다 더 사투리를 심하게 썼던 삼국이 서로간의 치열한 경쟁과 대립을 보였던 서기 7세기를 배경으로 영화를 만들어 보면 재미있지 않을까 하는 생각이 결국 〈황산벌〉과 〈평양성〉이라는 코믹 역사영화의 흥행대박을 터뜨리고 만 것이다. 영화는 콘셉트와 아이디어로 승부를 낼 수 있는 게임 중의 하나라는 것을 입증한 셈이다.

영화 〈황산벌〉의 첫장면은 동북아 4대 국의 실권자가 모여 가상 회의를 하는 씬이다. 때는 7세기 당나라의 고종, 백제의 의자왕, 고구려의 연개소문, 신라의 김춘추가 한자리에 모여 외교담판을 벌이는 장면인데, 영화 각색자의 당시 삼국 역사에 대한 통찰력이 뛰어나다. 사실 이 장면 하나에 당시 혼란스러웠던 동북아 4개 국의 상황과 외교적 딜레마 등이 잘 녹아 있다. 다소 희화화 한 점도 있으나 동시에 해학적으로 역사를 재해석했다는 장점도 간과 할 수 없다.

당나라 고종이 맨 먼저 입을 뗀다.

"동북아 정세는 당나라가 정한 국제질서에 따라 움직이는 것이다. 작금의 혼란은 변방의 약소국인 고구려와 백제가 따르지 않기 때문이다."

이에 고구려 실권 패자인 연개소문이 발끈한다.

"당나라는 고작 50년밖에 안됐지비... 우리 고구려는 칠백년 역사야... 이거 왜이래!"

당고종도 지지 않는다.

"동북아 질서를 무시하려고 하는 거냐! 질서는 하늘이 정했고 나는 곧 짐이고 하늘의 천자다."

이에 연개소문은 이렇게 받아친다.

"당태종이 형과 아우를 죽이고 왕이 된 것도 하늘이 정한 질서네?"

당나라 권력의 역린을 일부러 건든 것이다. 당태종은 형과 아우를 죽이고 정권을 찬탈하지 않았던가!

그러자 김춘추가 당나라의 눈치를 보고 슬쩍 끼어든다.

"정권의 정통성을 말하고 있지 않느냐?"

이 역시 연개소문에겐 뼈아픈 일격이다. 고구려 영류왕을 시해하고 그의 조카 보장왕을 왕위에 오르게 하여 패권을 잡은 연개소문이기에 정통성과 도덕성에서 너도 마찬가지 아니냐는 김춘추의 예리한 공격이 들어온 것.

그러자 노발대발 연개소문은 길길이 날뛰며 김춘추와 의자왕에게도 한마디씩 일갈한다.

"김춘추 너 말이야, 쿠데타로 잡은 반쪽짜리 왕인 주제에 어딜 나서는 게야? 김유신이랑 짝짜꿍 해가지고 설라무네... 의자왕, 니 아버지도 서자지? 여기 정통성 있는 넘 나와 보라 그래! 전쟁은 정통성 없는 애들이 정통성 세우려고 하는 기야."

당시 고대사에서 전쟁이 일어나는 이유를 연개소문의 촌철살인

한마디로 정리한다. 고대 전쟁 대부분은 기실 명분과 정통성을 세우기 위한 전쟁이었으니 말이다. 김춘추는 어떠한가. 신라는 성골출신 왕위세습이 선덕여왕, 진덕여왕 대에 이르러 끊어진다. 김유신과 권력적 동맹관계를 형성한 김춘추는 결국 신라의 최초 진골출신 왕위로 등극하게 된다. 바로 태종무열왕이 김춘추다. 그래서 반쪽짜리 정권이라고 한 것이다.

김춘추는 대야성 전투를 잊을 수 없다. 눈에 넣어도 아프지 않았던 딸을 대야성에서 백제군에 잃은 것이다. 이때 김춘추의 사위 김품석은 투항하면 살려준다는 신라군의 말을 믿고 항복했다가 결국 자결로 최후를 맞는다. 의자왕도 심기가 불편하기는 마찬가지. 백제의 수도를 사비(지금의 부여)로 옮겨 다시 한 번 중흥을 꾀했던 성왕은 신라의 진흥왕과 손잡고 고구려의 남진을 막아내나 진흥왕의 배신으로 관산성 전투에서 억울하게 죽고 만다. 의자왕 역시 할 말은 많은 것 같다.

자 이쯤해서 당시 삼국의 치열한 세력다툼과 중국과의 전쟁을 정리해 보자.

고조선이 중국의 한나라에 멸망한 후 한반도에는 부여, 고구려, 옥저, 동예, 삼한 등의 부족국가 연맹이 들어선다, 아직은 고대국가로 발전하기 전 단계다. 차츰 국가의 기틀을 완성한 각국들은 서로 병합을 통해 고구려, 백제, 신라로 정리된다. 가야는 신라 진흥왕 시기에 고령의 대가야를 마지막으로 신라에 복속되면서 고대국가까지 성장을 하지 못한다.

개인이나 국가나 전성기는 있다. 그 전성기를 언제 맞이하느냐가 중요하다. 삼국 중에서 전성기는 백제가 가장 먼저 누린다. TV 드라마로도 만들어졌던 '근초고왕'. 4세기 근초고왕이 집권하던 시기가 백제가 가장 잘 나갔던 시절이었다. 칠지도라는 보검을 왜왕에게 하사하였고 한강은 물론이요 중국 땅 요서지방까지 넘나들던 대 백제를 건설했던 근초고왕은 고구려의 평양성을 공격하여 고국원왕을 죽이고 고구려를 위협하기도 한다. 이후 4세기말이 되자 서서히 고구려의 용트림이 시작된다. 고구려 소수림왕은 고대국가의 기본 틀을 다지고 완성한다. 나라의 기본법령인 율령을 반포하고 불교를 공인하며 태학을 설립하여 유교를 교육하는 등 번듯한 고대국가의 면모를 보여준다. 이는 이후 광개토대왕과 장수왕이 북쪽과 남쪽으로 외치를 맘껏 펼쳐 나갈 수 있게 하는 기반과 터전이 된다. 고구려는 광개토대왕과 장수왕 대에 고구려 최고의 전성기를 구가한다.

4세기말 광개토 대왕은 북으로 영토를 확장하더니 5세기 들어 장수왕은 수도를 평양으로 천도하여 남진정책으로 백제와 신라를 압박한다. 장수왕은 백제를 쳐 할아버지 고국원왕의 원수를 갚고 백제의 수도 한성을 점령하고 한강을 수복한다. 이에 위협을 느낀 백제의 비유왕과 신라의 눌지 마립간이 나제 동맹을 맺으며 고구려의 남진에 저항하나 오히려 백제의 개로왕은 전사하고 만다. 이에 백제의 문주왕은 수도를 웅진으로 옮기게 되고 백제의 동성왕은 신라의 소지 마립간과 결혼동맹(2차 나제동맹)을 또다시 맺게 된다. 고구려 장수왕의 거센 남진정책 때문이다.

백제는 웅진시대를 맞아 무령왕릉의 민생안정 정책과 지방제도를 정비하여 백제의 재중흥기를 준비 하게 한다. 지금의 공주인 웅진은 지정학적으로 외적의 침입을 막기에 상당히 용이한 곳에 위치하고 있다. 차령산맥으로 고구려를 막고 계룡산이 신라의 접근을 어렵게 하니 천혜의 요새라 할 수 있다. 또한 이곳의 송산리 고분을 보면 60여년간 공주가 단순히 거쳐가는 수도가 아니라 한때 융성한 문화가 꽃피웠음을 짐작할 수 있다. 성왕대에 이르러 사비(지금의 부여)로 천도하고 부여의 후손임을 나타내기 위해 국호를 남부여라 바꾸며 찬란한 백제의 꽃을 피우기 위해 권토중래코자 한다. 550년. 한강을 중심으로 고구려와 백제의 한치의 양보없는 전투가 시작된다. 성왕은 신라의 진흥왕과 손잡고 고구려를 몰아내는데 성공한다. 백제가 잠시 한강을 수복하는 듯 하나 신라 진흥왕의 배신으로 성왕은 관산성 전투에서 전사하고 만다. 관산성 전투에서 성왕을 살육한 신라의 장군이 바로 김유신의 할아버지 김무력이다. 가야출신의 장수였지만 이 전투의 대승으로 김유신 가문은 신라내의 입지를 다지게 된다. 영화에서 의자왕(오지명)이 신라의 배신으로 성왕이 전사함을 분통해 했던 대사가 바로 이 역사적 사실에서 연유하고 있다.

신라는 최초의 진골출신 왕인 김춘추(태종무열왕)와 가야의 왕족인 김유신이 힘을 합쳐 삼국통일 대업을 달성코자 모색한다. 성골출신 왕은 선덕여왕, 진덕여왕에 이르러 멈추고 진골출신 김춘추가 정권을 잡게 된 것이다. 김춘추는 처음에는 고구려와 함께 힘을 합쳐 백제를 제압해 보려 했으나 오히려 고구려에 연금을 당하는 수모를 겪는다. 우여곡절 끝에 고구려에서 도망쳐 나와 동맹의 방향을 당나라로 돌렸다. 당나라 역시 고구려가 껄끄럽던 차였고, 잘만 하면 한반도의 영토를 반 이상 차지할 수 있겠다는 전략적 판단에 신라와 힘을 합치게 된다. 신라와 당나라의 나당 연합군이 결성되고 백제를 먼저 쳐 멸망시킨 후(660년) 이후 고구려를 공격하여 평양성을 함락하여 멸망시킨다(668년).

영화 〈황산벌〉은 바로 이 혼란스러웠던 삼국시대 말기, 신라와 당나라간의 외교술과 삼국이 서로 합종연횡하며 치열한 생존을 모색했던 모습을 '사투리'를 매개로 하여 코믹하게 보여준다.

영화 대사 중에 당나라의 정통성 문제를 연개소문이 계속 문제시하는 장면이 나오는데 당태종은 장자가 아니어서 형을 죽이고 왕위에 오른 처지라 대외전쟁을 통해 정통성 확보에 주력할 수밖에 없는 입장이었음을 보여준다. 그래서 고구려를 침략하여 왕권을 강화하고자 하였으나 오히려 고구려 군사들에 의해 한 눈을 잃고 패퇴하게 되며, 죽기 전 유언으로 고구려를 침략하지 말라는 말을 남기게 된다. 당나라 군사로는 상대하기 어렵다고 말하면서.

정통성 문제에 있어서 연개소문 역시 자유로울 수 없었다. 김춘추가 연개소문에게 정통성 시비를 거는 것도 그 때문이다. 연개소문 집안은 고구려 신진 귀족의 가문이었다. 연개소문은 아버지 대대로의 직위를 계승하여 대 외교 강경파들을 이끌면서 세력을 키웠다. 이를 위험시 여긴 고구려 온건파들이 연개소문을 제거할 움직임을 보이자 먼저 선수를 친 것이다. 연개소문의 성격은 직선적이고 단선적이었다. 이를 영화에서도 잘 표현하고 있다. 설화에 의하면, 연개소문은 칼을 다섯 개나 차고 다녔으며 나들이 할 때에는 팔을 휘저으며 거만하게 걸어서 주위에서 우러러 보기도 힘들었다고 전해진다. 중국의 경극을 보면 가장 무섭고 악독한 장군으로 연개소문이 등장한다. 당시 당나라 군사가 연개소문을 얼마나 두려워했는지 알 수 있다.

고구려의 기상과 전투력은 삼국 중에서 가장 뛰어났다. 허나 잦은 매에는 장사가 없는 법.계속 되는 중국의 외침에 고구려는 점차 지쳐간다. 그나마 고구려에 연개소문이 무소불위의 권력과 군권을 장악하여 버텨내고 있었다. 연개소문은 영류왕을 죽이고 말 잘 듣는 보장왕을 앉히고 맘껏 정국을 주도한다. 허나 권불십년이라 했던가. 갑작스런 연개소문 사후, 그의 세 아들 남생, 남건, 남산은 자기들끼리 골육상쟁을 벌이게 된다. 후계자로 남생이 지목되자 둘째 남건과 셋째 남산은 힘을 합쳐 남생을 공격하고 남생은 당나라로 귀순하여 고구려를 공격하게 된다. 결국 셋째아들만 평양성에 남아 마지막 항전을 하다가 전사한다. 모든 문제는 내부 분열에 있음을 고구려 멸망사는 잘 보여주고 있다.

나당 연합군은 난공불락 같던 고구려 평양성을 공격하여 결국

700년 역사 고구려는 허무하게 운명을 다하고 망한다. 영화 〈평양성〉은 백제를 멸망시킨 나당 연합군이 고구려를 치기위해 작전회의를 하는 곳에서 시작한다. 신라왕(황정민 분)은 당나라 황제에게 백제땅을 먼저 달라고 한다. 백제를 정복했으니 신라가 우선권이 있다는 거다. 황제는 즉답을 피하다가 결국 대동강 이남을 주마고 약속한다.

〈평양성〉의 스토리 라인은 백제와 고구려가 힘을 합쳐 한반도 전체를 삼키려고 하는 당나라의 야욕을 물리치는 이야기다. 나당연합군의 공격으로 고구려를 멸망시키는 것에 초점을 맞추는 대신에 백제 유이민과 신라, 그리고 고구려까지 합세하여 외세를 몰아낸다는 감상적 민족주의가 저변에 깔려있다. 〈평양성〉 편에도 황산벌에 등장했던 '거시기'가 신라군의 일원으로 등장하여 고구려와 신라의 가교 역할을 해낸다. 김유신은 이미 당나라와의 전쟁을 예감하고 신라의 군사력을 최대한 보존하여 후일 당나라와의 전투에서 승리할 수 있는 전력을 비축하는데 온 힘을 다한다. 당나라 황제가 대동강 이남 땅을 주기로 약속했다고 하자 김유신은 그리 상대방을 잘 믿게되면 결국 뒷통수를 맞게 된다고 경고하며 정치란 항상 상대방의 말을 뒤집어 생각해 보라고 충고한다.

백제가 멸망하기 전 백제는 어떻게 흘러가고 있었을까?

6세기 백제 성왕은 사비로 천도하고 국운 재기를 꿈꾸고 의욕 넘치게 새로운 왕조를 건설코자 하였으나 진흥왕의 배신으로 무산되었다고 앞에서 언급했다. 이후 무왕대에 잠시 국운이 반짝하나 싶더니 백제의 마지막 왕이 된 의자왕대 이르러 백제의 국운은 급속도로 휘청거리게 된다 . 의자왕도 집권초기에는 신라를 선제 공격하여 승전보를 올리는 전투를 많이 하였으나 갈수록 사치와 향락의 맛에 물들어 갔다. 백제의 주력 부대가 점점 밀리게 되고 의자왕은 계백장군에게 마지막 결사대 오천을 맡겨 최후의 항전을 기대한다.

계백은 마지막 전투인 황산벌에 나가기 전 가족을 모두 자기 손으로 죽인다. 적들에게 오욕을 당하지 않겠다는 뜻이다. 삼국의 장수 중 가장 멋있고 군인다운 모습으로 우리의 기억에 박혀 있던 계백은 영화에선 드센 부인의 거센 반발에 직면한다. 가히 기존 상식의 전복이다. 죽으려면 혼자 죽지 왜 가족을 죽이려 하느냐며 계백의 부인이 대드는 장면을 보면서 아, 그랬을 수도 있겠구나. 삼국시대는 지아비의 말이라면 무조건 순종하는 남존여비 사상이 아직 생기기 전이었으니 말이다.

어쨌든 백제의 운명을 어깨에 짊어진 무장의 전형인 계백의 허세를 아내는 무참하게 깔아뭉갠다. 동시에 무겁기만 한 백제 패망의 역사의 무게를 이준익감독은 이 한 장면으로 가볍게 털어낸 듯 하다.

"뭐시여 시방 안 죽겠다는 거여 뭐여..."

응당 당연하게 받아 들여야 할 엄숙성을 인간적 솔직함으로 전복함으로써 영화 〈황산벌〉은 곧바로 '거시기' 소동으로 빠져 들 수 있게 만든다.

영화는 '거시기'를 알아내기 위해 고심하는 신라군의 모습을 줄곧 따라간다. 거시기의 사전적 의미는 '속시원히 토로할 수 없는 절망과 울분을 드러내는 단어'라 씌여 있다. 백제 장수들의 회의장에서 흘러나온 비밀스런 첩보의 내용은 계백이가 "절대 거시기 할 때까지 거시기 하지 말어"였다. 거시기에 대한 해석이 분분한 가운데 김춘추와 계백은 서로를 탐색한다. 결국 거시기를 알아챈 신라군은 백제를 멸망시킨다. '절대 전투가 끝날 때 까지 갑옷을 벗지 말라'는 게 거시기의 비밀 아닌 비밀이었다.

우리가 익히 알고 있는 의자왕이 삼천궁녀 옆에 끼고 주색에 빠졌다고 운운하는 야사 역시 역사적 사실과 거리가 멀다. 당시 백제의 인구로 봤을 때 궁녀 삼천 명은 터무니없는 숫자이며 이는 백제의 멸망이 역사적 필연이었음을 강조하기 위한 후세 사가들의 침소봉대이었으리라. 실제 삼천궁녀가 몸을 던졌다는 낙화암에 가봤을 때 많은 관광객이 실망했다. 초라한 백제의 유적만큼이나 허망한 작은 절벽에 지나지 않음에 말이다.

나당연합군으로 삼국을 통일한 당과 신라는 곧바로 서로간의 전쟁에 돌입한다. 당나라가 신라까지 먹어 삼키려는 야심을 보였기 때문이다. 당나라는 고구려 멸망 후 곧바로 통일신라 땅에 안동도호부, 웅진 도독부, 계림 도호부 등을 설치하고 설인귀로 하여금 군사를 두어 다스리려고 하나 신라의 거센 저항을 맞는다. 신라는 고구려와 백제 유이민을 합세하여 당나라 군사들을 기벌포, 매소성 전투에서 대파하고 당나라를 몰아낸다. 마지막 2년간의 나당 전투는 백제나 고구려를 멸망시킬 때 보다 훨씬 치열하고 쌍방간의 피해도 컸다. 당을 몰아내기 위해 신라를 비롯한 백제, 고구려 유이민들이 결사 항전의 자세로 싸워 나갔다. 이런 사실을 들어 신라의 삼국통일이 진정한 우리민족의 일치된 힘으로 이루어 낸 것이라는 나름의 명분으로 내세우기도 한다. 결과적으로 신라가 고구려와 백제와 힘을 합쳐 당나라, 즉 외세를 몰아냈다는 얘기다. 그러나 당시의 국제적 외교 정서로는 고구려, 백제, 신라 모두 단일 민족이라는 개념이 아직 없을 때다. 당연히 외세를 끌어 들인다는 의미도 없다. 따라서 신라가 외세를 끌어 들여 민족을 통일했다고 폄하할 문제만은 아니라는 것이다. 하지만 통일신라의 영토는 확 줄어든다. 우리 민족의 활동 무대가 그만큼 위축된 것이다. 평양의 대동강에서 원산만으로 축소되고 고려에 와서야 청천강에서 영흥만까지 확대된다. 중국의 대국인 당나라가 그리 쉽게 통일 신라를 포기했을까 하는 의문도 든다. 사실 당고종은 678년(문무왕 18년)다시 신라를 침공할 계획을 세운다. 그러나 당나라 서쪽 토번이 강력하게 반기를 들어 반대하는 통에 중지하고 만다. 당나라 역시 내분으로 정신이 없을 때였다.

통일신라의 위업을 달성한 왕은 문무왕이다. 그는 죽으면서까지 나라를 걱정하였다. 유언을 남기길 '왜구가 늘 침범하니 내가 죽거든 왜구가 들어오는 동해 가운데 큰 바위에 장사 지내라. 나라를 지키는 큰 용이 되고 싶다'고 하였다. 바로 동해의 감포 앞바다에 유골이 뿌려져 지금의 대왕암이라 불리게 된다. 통일신라의 전성기를 이끌었던 문무왕의 아들 신문왕은 아버지 대왕암이 잘 보이는 곳에 감은사를 세워 호국사찰로 자리매김하게 하였다. 감은사는 지금 볼 수 없지만 감은사지의 석탑은 14미터의 웅장한 모습으로 찬란한 신라의 모습을 우리에게 압도적으로 보여준다.

역사의 가정은 부질없는 짓이라는 건 삼척동자도 다 아는 사실이지만, 지금 한반도 지도를 보고 있자니 슬그머니 안타까운 마음이 스멀거리며 올라오는 건 인지상정이다. 고구려가 삼국을 통일했다면 하는 생각은 누구나가 한번쯤은 했음직한 기분 좋은 상상일 것이다. 아니면 발해가 망하지 않고 통일신라를 흡수하였다면 그 광활한 넓은 만주 벌판이 다 우리 땅이 되지 않았을까 하는 생각 말이다.

어쨌든 삼국을 통일하고 당나라의 외세를 몰아낸 신라는 우리 역사의 찬란한 천년역사를 써내려 간다. 문무왕대에 이르러 통일신라의 토대를 만들고 신문왕대에 신라천년의 빛나는 문화를 이룩해 간다. 그렇게 천년의 고도 경주는 우리 앞에 아직도 펼쳐져 있다.

고려시대

〈쌍화점〉

남녀상열지사로 풀어본 고려말의 풍경

한국영화판에서 흔치 않는 고려시대를 배경으로 영화가 하나 만들어졌다. 영화 〈쌍화점〉은 흥행감독 유하의 작품이다. 톱스타 남자배우(조인성, 주진모)의 파격적인 동성애 설정으로 관객의 관심을 받었던 영화이다.

쌍화점은 만두가게라는 뜻이며 남녀상열지사를 다룬 고려가요의 하나다. 고려시대는 성적인 표현과 남녀 간의 사랑에 대해 가장 관대했던 시기다. 고려는 불교를 숭상하면서 팔관회나 연등회 등의 불교 축제를 자주 열어 민심을 다독였다. 특히 팔관회 행사 중 하이라이트는 탑돌이라 하여 탑 주위를 빙글빙글 돌면서 복을 바라는 전통행사인데 여기서 남녀 간의 눈맞춤이 많았다고 한다. 아무튼 쌍화점(만두가게)의 주인은 아랍의 남자였으며 팔목을 붙들려 사랑을 나누는 사람은 고려여인이다. 이 둘의 밀애를 다룬 고려 속요가 쌍화점이다. 쌍화점에 나오는 중간쯤의 가사를 현재의 우리말식으로 옮겨보면,

삼장사에 불을 켜러 갔더니만

그 절 지주 내 손목을 쥐었어요.

이 소문이 이 절 밖에 나며 들며 하면

다로러거디러 조그마한 새끼 상좌 네 말이라 하리라

더러둥셩 다리러디러 다리러디러 다로러거디러 다로러

그 잠자리에 나도 자러 가리라

위 위 다로러거디러 다로러

그 잔 데 같이 답답한 곳 없다

두레우물에 물을 길러 갔더니만

우물용이 내 손목을 쥐었어요.

이 소문이 우물 밖에 나며 들며 하면

다로러거디러 조그마한 두레박아 네 말이라 하리라

더러둥셩 다리러디러 다리러디러 다로러거디러 다로러

그 잠자리에 나도 자러 가리라

위 위 다로러거디러 다로러

그 잔 데 같이 답답한 곳 없다

적절치 못한 관계를 해학적으로 풀어냈다. 물론 이런 상열지사 표현의 고려속요 말고도 교과서에 실린 애절한 고려가요 역시 기억할 것이다. '가시리'. 1980년대 모 방송국 대학가요제 때 수상한 곡인데 가시리라는 고려속요 가사에 곡을 붙여 한때 젊은이들에게 신선한 대학가요로 다가가기도 했다.

영화 쌍화점은 제목이 암시하는 대로 격정적이지만 부적절한 사랑 이야기를 다루고 있다. 고려시대 왕과 왕비 그리고 두 사람을 동시에 사랑한 한 남자의 애절하면서 비극적인 로맨스를 기본 축으로 하고 있다.

때는 고려 말, 몽골은 고려를 침공하여 조공국으로 고려를 만들어 버렸다. 원나라의 다른 지배국들과는 달리 고려만은 원나라가 직접 통치하지 못하고 조공국으로 두어 내정을 간섭하던 이른바 원간섭기 시절이다. 이는 끈질긴 고려의 저항도 있었고 굳이 직접 지배할 필요를 느끼지 못한 원나라의 사정이기도 했다. 원은 당시 고려왕을 책봉하고 충자 돌림의 왕들이 고려를 다스리게 하였다. 충목왕에 이르러 왕이 무능하다는 이유로 원나라는 공민왕으로 전격 교체하였다. 1351년 12월, 22세의 젊은 공민왕이 고려왕으로 책봉된 것이다. 공민왕이 즉위할 무렵 원나라는 한족인 홍건족의 발호로 사회가 어수선하였고, 고려 역시 정치의 불안정과 왜구의 빈번한 외침으로 민생은 극도로 불안정하였다. 원은 이를 타개하고자 원나라에서 유학하고 있던 공민왕을 눈여겨보다가 기질이 훌륭하여 고려의 왕위로 오르도록 한다. 그러나 원의 입장에선 오히려 자충수가 될 줄이야.

공민왕은 충혜왕을 비롯하여 전대의 고려왕들이 원나라에 끌려가 갖은 고초를 겪거나 죽임을 당하는 모습을 많이 봐왔다. 그래서 원에 대한 적개심이 가슴 속 깊이 자리 잡고 있었다. 공민왕은 왕위에 오른 후 곧바로 반원자주 개혁정책을 편다. 원의 세력이 쇠퇴해진 틈을 타 고려에 퍼진 오랜 원의 습속을 하나씩 타파하기 시작한다.

변발과 호복을 없애고 인사정책을 펴 친원파 대신들을 물갈이하기 시작한다. 원나라 황제의 부인인 기황후를 등에 업고 호가호위 했던 기철 일파를 잔치 자리에 불러내 철퇴로 격살하는가 하면 원이 일본을 침략하기 위해 임시로 만들었던 정동행성의 사법기관인 이문소를 없애는 등 원으로부터 하나씩 하나씩 벗어나기 시작한다. 또한 원의 내정간섭 기구였던 '정동행성'을 폐지하고 고려 땅에 마지막 남은 원나라 행정 지배기구였던 쌍성총관부마저 없앤다. 과감한 공민왕의 개혁이 펼쳐지던 시기에 변수가 발생한다. 공민왕의 개혁정치에 위기를 느낀 친원파의 잦은 반란과 국경근처의 홍건적의 외침이 문신우대 등용정책을 펴던 공민왕 정권을 힘들게 한다. 다행히도 신흥무인 세력으로 떠오른 이성계와 권문세족의 지지를 받고 있던 최영장군의 활약으로 이들을 진압할 수 있었지만 최영장군은 원나라를 등에 업은 권문세족과 연루돼 있는 기득권 세력이었다. 따라서 반권문세족의 정책을 일관되게 추진하기에 한계가 있었다.

원나라 입장에선 반원자주정책을 펴는 공민왕이 곱게 보일 리가 없었다. 원은 충선군의 서자인 덕흥군을 왕위에 오르게 하여 공민왕을 폐위 시켜 버리는 무리수를 두기도 하였다. 물론 다시 복위하긴 했지만 왕권은 여전히 불안하기만 했다. 또한 왕을 시해하려는 음모나 획책이 여러 번 있어 개혁정책이 중단되기도 했다. 원나라에서 보낸 자객을 온 몸으로 막아주었던 정치적 동반자 노국공주마저 아이를 낳다가 죽고 만다. 노국공주에 대한 공민왕의 사랑은 절대적이었다. 어찌보면 노국공주를 잃고 나서 공민왕의 삶의 동력도 꺼져갔는지 모른다. 아내의 시신을 묻으며 공민왕은 자신의 무덤도 바로 옆자리에 만든다. 그런데 공민왕릉은 쌍릉이라는 사실 이외에도 특이한 점을 발견할 수 있다. 공민왕릉의 내부를 들어가 보면 한 쪽에 약 40센티의 구멍이 있다고 한다. 그 구멍은 노국공주의 묘를 향해 있는데 이것이 바로 두 사람의 영혼이 만나는 길의 역할을 했다는 것이다. 다른 능에서는 찾아 볼 수 없는 구조다. 사실 여부를 떠나 공민왕의 노국공주에 대한 사랑만큼은 의심할 여지가 없는 듯 하다.

공민왕은 다시금 힘을 내어 개혁의 칼을 들었다. 기득권 세력과 단절하고 새롭게 판을 짤 수 있는 사람이 절실히 필요했다. 다른 사람의 예상을 벗어나 과감하게 등용한 인사가 있었으니 그가 바로 '신돈'이다. 당시 이름도 없던 신돈을 파격적으로 등용하여 '전민변정도감'이란 기구를 만들어 구습을 타파하고 백성을 위한 정책을 펴 나가도록 한다. 전민변정이란 뜻은 토지의 소유를 정확히 밝혀 신분을 바로 잡자는 의미이다. 고려사회는 아직 친원파인 권문세족이 득세하던 시기였기에 개혁을 힘 있게 추진하기 위해선 어느 이해세력과도 결탁하지 않는 자유로운 인물이 필요했던 것이다. 고려사회의 기득권과는 거리가 있으면서 오직 개혁만을 힘 있게 추진해 줄 수 있는 사람으로 공민왕은 신돈을 중용한다. 신돈은 공민왕으로부터 하나의 각서를 요구한다. 어떤 모함과 무고를 외부에서 자신에게 하더라도 자신을 믿어달라는 내용이었다. 신돈은 기득권 세력인 권문세족의 거센 반발을 예견하고 있었던 것이다. 이들이 자기를 거세하려는 시도를 하려는 건 자명한 일이었다. 신돈은 권문세족을 견제하고 대토지 겸병금지, 인사개혁과 함께 무신정권에 설치된 인사기구 정방을 폐지하고 왕권 강화에 힘을 쓴다.

당시 고려에 가장 문제가 되고 있었던 건 권문세족들의 대토지 겸병이었다. 고려의 초기 토지제도인 전시과 체제가 무너진 지 오래되었고 권문세도가들은 토지를 조금이라도 더 확보하려고 혈안이었다. 양민들의 토지를 불법적으로 빼앗거나 국가의 토지를 몰래 빼돌려 대토지를 형성하였다. 토지를 잃은 농민은 유랑민이 되거나 산적 등이 되어 국가의 기강을 문란케 하였다. 신돈은 '빼앗은 토지와 노비를 수도는 15일, 지방은 40일 이내에 돌려주도록' 명령하고 백성들로부터 지지를 받는다. 승려출신 임에도 불구하고 권문세족을 견제하기 위해 새로운 신진관료들을 배출하기 위해 성균관을 정비한다. 그러나 우리의 역사에서 보듯이 기득권 세력의 반발이 신돈을 가만 둘리가 없었다. 이들은 신돈을 불륜을 저지른 요승으로 만들어 버린다. 신돈 역시 초심을 잃은 것인지 자기관리에 실패하고 재산 축재 등 불미스러운 일들이 터지기 시작한다.

공민왕 역시 판단력이 흐려졌고 자신의 왕권을 위협할 정도로 세력이 커진 신돈이 부담스러웠던 차에 신돈이 역모를 꾸민다는 밀고를 믿고 신돈을 비롯한 개혁파들을 처형해 버린다. 고려는 다시 권문세족의 세상이 돼 버린다. 고려 500년 왕조의 석양이 뉘엿뉘엿 개성의 송악산 너머로 넘어가기 시작한 때이다.

고려 마지막 왕실의 치명적 스캔들을 다룬 영화 〈쌍화점〉은 이런 시대적 배경에서 출발한다.

영화 〈쌍화점〉은 왕을 사랑하고, 왕이 소개해 준 왕비와도 사랑하게 된 삼각관계의 기구한 운명의 남자 '홍림'에 대한 얘기이다. 영화는 처음부터 공민왕(이라 추측되는데 영화에선 공민왕이라 불려지는 건 없다)의 무분별한 애정 행각과 성적 도착증을 소재로 가감 없이 카메라를 들이 댄다. 영화의 첫 장면은 그래서 의미심장하게 시작한다. 공민왕의 꽃미남 호위부대였던 자제위의 모임에서 왕이 묻는다.

"충이 무엇이냐?"

미소년 한명이 부끄러운 눈빛으로 대답한다.

"왕을 위해 목숨을 바치는 것입니다."

그 답변을 듣고 흐뭇한 미소를 짓는 공민왕. 회합이 끝난 후 왕은 자제위의 처소에 가서 그 소년의 발목을 이불로 덮어준다. 이후에 둘 사이에 전개되는 이야기를 암시해 주는 감독의 연출이다. 그 미소년의 이름은 홍림이다. 왕의 호위무사로 나오는 홍림은 실제했던 인물인 홍륜을 본따서 나온 것으로 보인다. 실제 홍륜은 당시 고려시대 귀족의 자제였다.

공민왕은 자신의 친위를 위해 자제위를 만든다. 자제위는 고신대작들의 자제로 구성되었고 요즘말로 하면 꽃미남들로 구성되었다. 자제위에서 동성애의 소문이 들려왔고 공민왕이 남색을 밝힌다는 이야기도 심심치 않게 흘러 나왔다. 실제《고려사》를 보면, 자제위 청년들은 여자 옷을 즐겨 입고 공민왕은 다른 사람들이 성관계를 하는 장면을 몰래 숨어 즐겨 보았다고 한다. 그러다가 기분이 내키면 공민왕은 직접 여장을 하고 남자와 성관계를 취했다. 내밀한 고려 궁실 공간 안에서 벌어지는 남녀 간의 질투와 애증이 바로〈쌍화점〉의 주요 소재로 차용된다. 극중 왕은 성관계를 가질 수 없는 인물로 그려진다. 그 이유는 정확히 밝히진 않는다. 역사적 맥락으로 보자면 아마도 노국공주를 잃고 나서부터 정상적인 성행위 자체에 흥미를 잃어버린 공민왕으로 설정한 것 같다. 실제 공민왕 자신도 그리 색을 밝히지 않았다고 하며 성적인 문제가 있어 노국공주하고도 그리 많이 동침하지 않았다 전해진다. 실제 홍륜이라는 인물은 공민왕을 측근에서 모셨던 자제위의 간부 중의 한사람이었으니 억측만은 아니라고 본다. 극에서는 홍륜이 홍림이라는 인물(조인성 분)로 나와 공민왕과 동성애를 벌이는 호위무사역할을 맡았다. 여기에 원나라에서 고려로 온 왕비(송지효 분)가 홍림과 기구한 로맨스 라인을 그려내면서 갈등하는 구조다.

《고려사절요》를 보면 왕의 명으로 강제로 홍륜과 동침했던 왕비 익비는 원나라 출신의 공주라기보다는 고려 귀족의 딸로 노국공주 사후 후궁으로 들어온 인물이다. 또한 홍림이 왕명을 핑계 삼아 여러 번 익비의 방을 들락거려도 공민왕은 모르는 척 내버려두었다고 적혀있다. 이런 사료적 근거로 보아 어느 정도의 역사적 사실을 기반으로 하여 영화적 상상력을 보탠 작품이라고 봐야겠다.

친원파 대신들은 왕이 후궁을 들여도 후사가 없자 반원정책을 펴는 공민왕을 제거할 기회만을 보고 있었다. 공민왕은 홍림과 왕후가 은밀하게 관계를 맺어 후사를 이어주길 바랬고 이를 통해 정치적 위기를 넘기고자 하였다. 이런 과정에서 홍림과 공민왕(주진모 분) 그리고 왕비와의 치정극이 빚어지게 된 것이다. 양성애자인 홍림을 두고 왕과 왕후의 애증이 시작되고 홍림과 왕후사이를 왕은 질투한다. 점입가경이다. 결국 이런 막장 이야기들이 비극적 결말로 끝나듯이 파국으로 〈쌍화점〉은 끝맺는다.

역사에서는 영화와는 다소 다르게 전개된다. 홍륜과 익비 사이에서 태어난 아이를 공민왕은 실제 후사로 삼으려고 한다. 익비가 임신을 하자 술자리를 갖게 된 공민왕이 함께 있던 내시 최민생에게 실언을 하고 만다. '내 자식도 아닌 것을 왕위에 오르도록 나는 하겠다. 너도 이 사실을 알고 있으니 나중에 너부터 죽일 것이다' 사실 왕이 술김에 농반진반의 얘기로 던진 것이었지만 최민생은 모골이 송연해지도록 다급해진다. 최민생은 이 사실을 홍륜과 자제위에게 알리고 모반을 부채질 한다. 홍륜을 중심으로 한 자제위는 이 이야기를 듣자마자 칼을 들어 왕을 시해한다. 공민왕을 처참하게 살육하여 죽인 자제위는 어찌 수습할지 모른다. 겨우 정신을 차린 그들은 당시 권문세족의 실세였던 이인임에게 달려가 이 사실을 고하고 무마코자 시도한다. 정치술수의 대가인 이인임은 지금 벌어진 사태에 대해 재빠르게 머리를 돌린다. 자제위를 모두 체포하여 죽이고 공민왕의 아들인 모니노를 우왕으로 삼고 공백상태의 권력에 치고 들어간다. 이인임은 우왕에 이어 창왕에 이르러서도 권세를 누리다가 신진 사대부 정도전과 신흥무인세력인 이성계의 거센 도전을 받고 정치 투쟁에서 패배한다. 마지막 낡은 고려왕조의 방어막이었던 이인임이 무너지고 권문세족들의 권력 역시 조선의 새로운 역사적 기운에 무너지고 만다. 이성계와 정도전의 조선이 서서히 역사 전면에 나서기 시작한다.

공민왕의 개혁은 결국 실패로 돌아갔다. 그러나 분명한 사실은 공민왕의 개혁이 아이러니컬하게도 조선 개창의 터전을 만들었다는 사실이다. 신돈으로 하여금 성균관을 정비하여 성리학자를 대거 등용하였다. 이는 권문세족을 견제하기 위해 그리 한 것으로 보이나 결과적으로는 이색, 정몽주, 정도전 등 기라성 같은 신진사대부를 배출하는 통로 역할을 해준 것이다. 또한 신돈의 전민변정도감 같은 정책이 시험대를 거쳐 향후 신진사대부의 경제적 토대가 된 과전법을 시행하게 된 계기가 되었음도 부인키 어렵다. 실질적인 고려의 마지막 왕, 공민왕은 비록 인생 말년이 변태적 사건으로 얼룩져 있지만 의미 있는 군왕으로 자리 매김할만 하다.

영화 〈쌍화점〉은 한국영화에선 좀처럼 다루지 않는 고려시대를 중심으로 펼쳐진다. 한국영화사에서 고려시대를 배경으로 하는 영화는 손에 꼽을 정도로 적다. 김성수 감독과 정우성이 주연으로 나왔던 〈무사〉가 있으며 이후 최근에 고려 무인시대를 배경으로 만든 이병헌, 전도연 주연의 〈협녀〉 정도가 손에 꼽힌다. 〈쌍화점〉은 조선시대에 비해 문화유적이 부족한 고려시대를 재현하기 위해 무려 5만 킬로미터의 촬영거리를 이동하였다고 한다. 우리나라의 모든 세트장은 물론이요 테마파크, 지리산 자락의 화엄사, 단양의 활공장, 영주 소수서원, 축령산 등이 촬영지였다. 또한 고려시대의 복식을 재현하기 위해 무려 의상 수만 2,500여 벌이 소요되었고 왕과 왕후의 연등회 행사 제복은 한 벌 당 2,000만원을 호가했다고 한다.

한국영화의 소재도 이제 조선시대 중심으로 밀집해 있는 드라마와 영화의 외연을 확장해 무궁무진한 스토리텔링을 갖고 있는 고려시대로 한번쯤 눈을 돌려 볼 시기다.

조선시대

〈순수의 시대〉

조선개국 권력투쟁 속에 빛나는 사나이 순정

영화 제목부터가 심상치 않다. 헐리웃 영화로 몇 년 전에 개봉한 〈순수의 시대〉(The Age of Innocence)가 생각이 났다. 마틴 스콜세지 감독에 다니엘데이 루이스가 나왔던 영화다. 이 영화 역시 시대극이었다. 뉴욕 이민자들의 삶속에 드러난 그들의 애정과 사랑을 깔끔하게 담아냈던 수작이다. 사극답지 않은 제목으로 관객들의 눈길을 끌었던 〈순수의 시대〉는 장혁, 신하균이 각각 태종 이방원과 정도전의 데릴사위 이자 태조의 사위를 아들로 둔 삼군부의 장군인 김민재의 역할로 등장한다.

조선 초를 배경으로 하는 〈순수의 시대〉는 이성계가 조선을 개국하고 새나라 건설에 매진을 하던 무렵으로 거슬러 올라간다. 태조 이성계는 첫째 부인을 여의고 둘째 부인 신덕왕후를 맞아 아들을 생산한다. 전처소생으론 아들만 무려 여섯 명이고 둘째 부인에게는 아들 둘을 더 낳는다. 전처소생의 아들 중 권력의 화신이자 개국공신이었던 이방원이 있었다. 영화의 이야기는 여기서부터 시작한다.

이방원은 당시 정도전과 태조를 도와 개국에 동참했던 충신세력에게 알게 모르게 견제와 감시를 받고 있던 차. 몸을 사리면서도 때를 기다리고 있었다. 이런 차에 당시 이성계의 심복인 삼군부 대장 김민재(신하균 분)가 등장한다. 김민재는 가공인물이다. 이방원과 김민재의 대결이 바로 이 영화의 기본적인 대립구도이긴 하지만 여기에 어머니의 원수를 갚고자 두 남자의 권력쟁투에 뛰어든 여인네가 있었으니 그녀가 가희다.

사극영화를 제작할 때 주의해야 할 점은 자칫 역사적 사실을 시간대별로 나열하거나 우리가 잘 알고 있거나 단지 재미있겠다고 생각하는 얘기만을 영화 속에서 그대로 재생하는 것이다. 이러면 필히 흥행에 참패한다. 역사적 사실에 바로 아이디어와 새로운 콘셉트 하나를 던지는 것! 이것이 바로 사극영화 성공의 핵심이다. 영화 〈순수의 시대〉도 우리가 잘 알고 있는 태종 이방원의 정치 권력투쟁 이야기에 가공의 김민재라는 남자를 등장시켜 역사적 사실과 픽션을 혼합하였다. 단순히 왕권을 지키고, 차지 하고자 하는 것만 이 영화가 보여주는 건 아니다. 김민재라는 조선의 한 무장의 지고지순한 순정과 격정을 동시에 담아낸다. 어찌 보면 순애보적이고 달리 보면 무식할 정도의 외골수적인 사랑으로 남녀 모두 비극적인 생을 마친다는 스토리 라인을 갖고 있다. 결국 남녀의 사랑얘기를 조선 초기 격량의 시대에 투척해 본 것이다.

이방원은 태조의 가신이자 심복인 김민재를 파멸로 이끌기 위한 계략으로 한 여인네를 김민재의 품에 들게 하고 그가 그녀를 사랑하도록 만든다. 동시에 이 여인네가 김민재의 의붓 아들을 유혹하여 관계를 가지게 함으로써 김민재 가문을 파멸시켜 정도전 일파를 제거하기 위한 계획을 갖고 있었다. 처음부터 정안군 이방원이 잘 짜놓은 기획 속에 조선시대 팜므파탈 가희를 등장시켜 정적을 파멸시키고 여자는 부모의 원수를 갚는 다는 기본 얼개를 갖추고 있다.

아직은 태조 이후 권력의 재편이 안개 속에 있었던 조선 개국 태조7년. 한 나라의 정체성과 절대적 왕권을 수립하기에는 시간이 더 필요했던 시기였다. 태조는 주위의 예상과 달리 둘째부인 신덕왕후의 아들 방석을 세자로 책봉해 버린다. 개국공신의 일부와 태조의 전처 소생 아들 다섯(한 명은 어릴 때 죽는다)은 겉으로 표현하지는 못하지만 속으로 부글부글 끓기만 하고 있다. 장성한 아들 다섯 명을 두고 둘째부인의 막내 아들을 세자로 책봉했으니 그럴 만도 하였다. 이때 이방원은 피가 거꾸로 솟는 분노가 일었지만 내심 표정관리를 하며 사병을 몰래 키우고 있었다. 결정적인 때를 기다리고 있는 셈이다. 개국 일등공신 정도전은 혹시 모를 군사 쿠데타를 미연에 방지하고 향후 요동정벌을 위해 군제 개편을 서둘러 모든 사병을 혁파하고 조선의 정식 군제에 사병을 편입할 것을 명한다. 이에 명을 받은 김민재가 이방원을 찾아가 사병을 모두 5군위로 합쳐 줄 것을 청한다. 이에 방원은 김민재 눈앞에서 무력시위를 하며 자신의 불편한 속내를 드러낸다.

이방원은 형들이 세자책봉이 되지 않은 게 오히려 잘된 일인지도 모른다고 판단한다. 이는 자신에게도 언젠가 기회가 올 거라는 계산이었다. 당시 최고의 실권자인 정도전 역시 방석을 왕세자로 책봉한 것에 굳이 반대하지 않는다. 정도전은 재상정치를 줄기차게 주장한 인물 아닌가? 중국 한나라의 장자방을 자처하며 조선을 마치 자신의 나라인양 생각하는 정도전에게는 어린 방석이 오히려 다루기 편한 인물이었는지 모른다. 임금은 아둔한 사람이 될지언정 재상은 그 나라에서 가장 똑똑한 사람이 돼야 한다는 것, 이것이 정도전의 기본 생각이었고 지금 이 나라에서 가장 현명한 사람은 자신이라는 자신감이 충만했기 때문이었다.

정도전은 이후에도 왕명을 받들어《고려사》를 편찬하고 뒷날《경국대전》의 원본이라 할 수 있는《조선경국전》의 집필을 포함하여 병서와 악기를 다루는 책까지 편찬하게 된다. 가히 조선의 천재 정치인이라 불러도 손색이 없다.

복잡한 개국 초기 정국의 흐름 속에 이방원은 이 시기에 어떤 움직임을 보였을까? 이성계에게 중국 한나라를 창업한 장량의 역할을 한 인물로 정도전이 있었다면 이방원에게는 하륜이 나타난다. 하륜 역시 야망에 가득 찬 인물. 두 사람의 결합은 조선의 또 다른 모습의 세상을 만들고자 하는 만남이었다. 이런 이방원에 기회가 찾아온다. 명나라 주원장 홍무제에게 조선의 사신 자격으로 알현을 가게 된 것. 사실 홍무제는 조선의 개국을 그리 달갑게 생각하지 않았다. 허나 이방원에게만은 홍무제가 살갑게 대했다고 한다. 이방원으로서는 당시 사대의 예를 바쳤던 큰 나라인 중국의 긍정적인 시그널로 받아들

였음직하다. 이후 홍무제 사후에도 명나라는 이방원에게는 트집을 잡지 않고 나중에 이방원이 왕위에 오를 때 태조에게 전해주지 않고 그동안 미뤄뒀던 옥새도 그때서야 비로소 전달했을 정도였다.

그러던 중 왕세자 방석의 친모인 신덕왕후가 갑자기 세상을 뜨고 만다. 그동안 세자의 버팀목 역할을 했던 어머니가 돌아가신 것이다. 뭔가 이방원쪽 방향으로 정국이 요동치는 듯하다. 이때 정도전은 사병혁파를 강하게 제안하여 사족일파와 권신들이 딴 마음을 먹지 못하게 한다. 사병혁파 전면실시는 이방원의 팔다리를 자르는 것과 같은 정책이었고 이방원은 좀더 급하게 자신의 권력찬탈을 위해 무언가를 해야 할 시점이었다.

영화 〈순수의 시대〉는 이런 내적 갈등을 배경으로 깔고 시작되며, 여기에 이방원과 정도전파의 김민재간의 치열한 권력 쟁투가 시작 되는 것이다. 김민재의 정인으로 등장하는 가희 역시 개인의 기구한 스토리를 갖고 있는 처자다. 어머님이 강제로 능욕당하고 자진하는 모습을 본 가희는 복수를 결심하고 기회를 엿보던 중 이방원의 권력찬탈 플랜에 주역으로 등장하여 정도전과 김민재를 파멸 시킨다.여기까지는 영화의 줄거리다.

사료를 살펴보면 이방원이 기회를 엿보다 드디어 제1차 왕자의 난을 일으킨다. 《조선왕조실록》에는 정도전이 임금의 병을 핑계로 하여 왕자들을 궁궐로 끌어 들이고 왕자들을 공격하려고 하자 이방원이 이런 계획을 사전에 알고 자신도 어쩔 수 없이 궁궐 밖에서 선제 공격하였다고 적혀 있다. 그러나 여러 가지 정황으로 보아 터무니

없는 주장이라고 할 수 있다. 정도전이 그리 무리하게 왕자들을 해할 의지도 뜻도 이유도 없다. 실록 상에는 방원과 그 형제들이 임금이 거처하는 궁문 앞에 다다랐을 때 불이 모두 꺼져있었다 한다. 그리고 입궐 시 왕자의 수행원들도 모두 궁앞에 남겨두고 들어오라는 궁궐 수비대의 지침을 듣고 방원은 정도전 패들이 자신들을 해하려는 의도를 분명히 읽고 드디어 거사결심을 했다고 적혀 있다. 즉 자신들을 없애기 위한 공작을 다 알고 나서 이대로는 죽을 수 없다는 명분으로 세자 방석과 정도전 등을 어쩔 수 없이 선수 쳐서 죽였다는 것이다. 실록에 정도전은 비굴한 최후를 마쳤다고 기록되어 있다. 물론 후대에 하륜이 중심이 되어 태조실록을 편찬 한 연유로 정도전을 깎아 내릴 수밖에 없었을 것이다. 정도전의 아들 넷 중 두 아들은 아버지를 구하러 가다 죽고 한 아들은 집에서 자결한다. 한 시대를 풍미했고 조선의 실제적인 설계자였으며 법전과 병법 등 사통팔달했던 정도전의 죽음치곤 너무나 허무한 최후가 아닐 수 없다. 정도전은 참수되기 전에 아래와 같은 글을 남긴다. 그 글의 내용으로 봐선 이방원에게 목숨을 구걸하진 않았을 것 같다.

자조

조심하고 조심하여
공력을 다하며 살면서
책속에 담긴 성현의 말씀

거스르지 않았다네.

삼십년 긴 세월
고난 속에 쌓아온 일
송현방 정자 한잔 술에
그만 헛일이 되었구나.

정도전의 억울한 신원은 대원군에 이르러서야 비로소 제대로 인정되었고, KBS대하사극 〈정도전〉의 시청률이 고공행진을 하면서 정도전에 대한 평가는 오늘날에 와서 상당히 달라지게 된다. 당대 최고의 사상가이자 혁명가이며 천재 재상이었다는 평가가 그것이다. 태조는 '개국공신 정도전과 남은 등이 몰래 반역을 꾀해 왕자와 종친 등을 해하려다가 발각되어 공이 크다 하나 어쩔 수 없이 주륙되었다'는 문서에 결재하고 만다. 당시 이성계의 심정은 어떠했을까? 이성계와 정도전의 관계는 단순히 군신간의 그것과는 조금 다르다. 조선 주식회사에 공동 창업자이자 파트너로 둘 관계는 볼 수 있다. 태조의 정도전에 대한 무한신뢰와 애정은 그만큼 극진했다. 그런 정도전을 방원이 살육했으니 태조의 마음이 어떠했을까. 정몽주의 시해부터 시작해서 1차 왕자의 난까지 태조는 방원의 모든 짓이 맘에 들지 않았다. 자식만 아니었다면 죽이고 싶었을 것이다. 이방원을 너무 크게 내버려둔 게 아닌가 후회하였으리라. 지나친 개국의 자신감이 크나큰 실수를 저지른 게 아닌지 뒤늦은 후회를 했을 것이다.

방번과 방석(왕세자) 두 이복동생도 1차 왕자의 난 때 방원의 패거리에 죽음을 당하고 만다. 거사를 치르고 난 방원은 왕 즉위를 잠시 미룬다. 방원의 친형 영안군 방과, 즉 정종이 먼저 즉위하게 된 것이다. 이는 방원의 치밀한 노림수에 의한 것이다. 어차피 방과(정종)는 왕위에 대한 야심도 없으며 소박한 무인의 기질을 가지고 있다는 걸 방원은 잘 알고 있었다. 1차 왕자의 난이 터질 당시에도 그는 성 밖에 있는 신하의 집에 숨어 지낼 정도였다. 그는 이방원이 왜 자기에게 왕위를 넘겼는지, 그리고 언제쯤 이 왕관을 방원에게 넘겨야할지를 잘 아는 인물이었다.

방원은 왜 바로 왕이 되지 않았을까? 형이 위로 세 명이나 있는 상황에선 아직 명분도 약하고 아버지의 분노를 혼자 막아내긴 때가 아니라 판단한 것이다. 다시 한 번 기회를 보던 방원에게 드디어 그 기회가 찾아왔다. 1차 왕자의 난 때 공을 세운 박포라는 자가 있었는데 방원의 노여움을 사 귀양을 가게 된다. 귀양에서 돌아온 박포는 방간 쪽에 줄을 댄다. 방간을 꼬드겨 방원을 제거할 계획을 세우게 되는 것이다. 그러나 이미 이런 정보를 입수한 방원은 모든 역습의 준비를 하고 있다 상대가 공격해 오자 거침없이 궤멸 시켜버린다. 그러면서도 짐짓 내키지 않은 척 하며 동복 형인 방간을 붙잡아 귀양을 보내고 박포를 희생양으로 삼아 죽여 버린다. 사태가 일단락 진정할 기미를 보이자 이방원세력은 정종에게 몰려간다. 그리고 정안군, 즉 이방원을 세자로 삼을 것을 청하자 정종은 드디어 올게 왔다는 심정으로 순순히 정안군을 세자로 책봉한다. 동생을 세자로 책봉한 것이다. 정확히는 세제가 맞으나 정종이 정안군 이방원을 아들로 삼겠다하여 이 문제는 일단락된다. 당시 정종의 정실부인에게 다행인지 불행인지 아들이 없었다. 이후 정종은 왕위에서 물러나 20여년을 더 살게 된다. 어찌 보면 조선에서 가장 행복하게 노후를 보낸 왕인지 모른다. 태종에게는 전혀 정권에 대한 욕심이 없음을 상시적으로 보여 줬으며 격구나 사냥, 유람 등으로 세월을 보냈다. 존호, 묘호, 시호도 없었던 정종은 후일 정종이란 묘호를 숙종 때 가서야 받게 된다.

이방원의 권력에 대한 야심과 집착, 그리고 기회를 기다리는 끝없는 인내심으로 태종은 당당히 태조에 이어 조선왕조의 기틀을 마련한 왕으로 자리매김하게 된다. 영화 〈순수의 시대〉는 바로 1차 왕자의 난 바로 직전 상황이라 보면 된다. 이방원으로서는 태조 이성계와 정도전의 방패막이 역할을 하던 김민재 삼군부 수장을 쓰러뜨려야 했다. 김민재는 이방원의 트로이 목마였던 가희와 사랑에 빠져 눈멀게 된다. 태조는 김민재를 따로 불러 세자를 부탁한다. 그러나 김민재는 이미 가희에게 목숨을 바쳐 지켜주겠노라 약속한 이후다. 가희 어머니를 범하고 가희까지 강간하려고 하는 진은 김민재의 친 아들이 아니다. 정도전의 딸이 김민재를 만나기 전에 낳은 자식이다. 진은 한마디로 사고뭉치인 아들이다. 친구들과 몰려다니며 온갖 악행을 저질르고 다닌다. "우리 아비들이 피땀 흘려 세운나라 자식들이 덕 좀 보려는건데 왜 이리 일이 꼬이느냐"며 투덜댄다. 그런 진이 드디어 대형 사고를 친다. 아버지 김민재의 애첩인 가희에게 강상죄

(부모를 욕되게 하는 죄)를 짓게 되어 이방원으로 하여금 정도전과 김민재를 처단할 명분을 만들어 준다. 이미 이방원이 계획한 그물에 걸린 것이긴 하지만, 이방원은 수시로 태조에게 불만을 표출한다. "필요할 때는 손에 피를 묻게 하시고 이제 지나고 나면 피묻은 놈은 필요가 없어지신 게지요"하며 태조와 세자를 압박한다.

영화 〈순수의 시대〉는 결국 김민재라는 가공의 인물을 통해 피비린내 나는 권력투쟁보다 인간이 갖는 순수함의 결정체인 사랑이 우선임을 보여준다. 여진족 출신으로 데릴사위로 들어온 김민재는 사랑 없는 정략결혼의 답답함, 의붓아들의 비행에 제대로 역정 한번 못내는 무력감으로 갇혀 있다가 가희를 만나 마음의 문을 연다. 그에게는 조선왕조의 가장 높은 벼슬도, 권력자의 사위역할도, 이방원과의 권력싸움도 한낱 의미 없고 부질없는 것처럼 보인다. 이성계의 마지막 명령인 "그 계집(가희)을 당장 죽이라"는 명령도 거부한 채 둘만의 탈출을 꾀한다. 그러나 이방원의 화살에 두 사람은 수장되고 만다.

1400년 이방원은 태종에 즉위하고 김민재에 대한 모든 기록을 지우라 명한다. 가장 순수하게 살고 싶었던 김민재는 그래서 조선 역사에서 깡그리 없어진다. 그래서 우리는 더 '순수의 시대'가 그리워지는지 모른다. 조선뿐 아니라 당대에까지도.

조선시대

〈관상〉

세조의 관상은
역모의 상인가?

당신은 운명을 믿는가? 사주팔자대로 이루어진다고 생각하는가? 인간은 태어날 때 이미 자신의 생로병사가 정해져 있다면 과연 자신의 노력을 통해 얻는 건 무엇인가? 흔히 운칠기삼이라 한다. 세상만사가 운에 좌우되는 게 7이라면 기능을 연마하고 노력하여 풀리는 건 3에 불과 하다는 것이다. 그럼 관상은 어떠한가? 인간 길흉화복이 얼굴에 이미 나타나 있다면 우린 그것을 어떻게 받아 들여야 할까? 최근 허영만 화백이 관상을 소재로 〈꼴〉이란 만화를 연재하여 화제에 오르기도 했다. 이번엔 영화로 관상을 소재로 만들어졌다. 영화 〈관상〉은 조선시대 세조의 집권기를 배경으로 하여 조선최고의 관상쟁이 내경과 거대 권력을 거머쥔 수양대군간의 운명을 드라마틱하게 직조해간다.

세종의 장남인 문종이 왕위에 오른다. 문종에게는 둘도 없는 동생 수양이 있다. 그 둘의 우애는 너무나 각별했다. 서로가 서로를 위해주며 아껴주는 모양새는 세종을 흡족하게 했다. 문종은 우리가 아는 것과는 달리 병약하지 않았다. 몸도 크고 얼굴도 잘 생겨 진정한 준비된 군주의 모습이었다. 아버지 세종과 함께 과학기술 진흥을 위해 직접 연구진에 참여하기도 했고 측우기도 만들었다. 그러나 안타깝게도 병으로 덜컥 세상을 떠난다. 문종은 집권시 역모에도 상당히 주의를 기울였다. 영화 관상에서 문종은 직접 내경을 찾아가 역모를 꾸밀 사람을 골라 보라고 지시를 할 정도였다. 내경은 수양의 얼굴을 몰래 엿보고는 문종에게 전혀 역모를 꾸밀 상이 아니라고 아뢴다. 그제서야 문종도 편안하게 눈을 감을 수 있었다. 그러나 당시 내경이 본 남자는 수양이 아니었다. 관상을 보러 올줄 미리 알고는 다른 사람을 대신하게 한 것이다. 수양의 얼굴을 다시 본 내경은 "남의 약점인 목을 잡아 뜯고 절대로 놔주지 않는 잔인무도한 이리. 이자가 진정 역적의 상이다"고 말한다.

어린 단종이 보위에 오른 지 몇 년 되지 않는 시기. 단종을 보필하기 위해 문종의 유언에 따라 황보인, 김종서 등의 대신들이 정사를 대신 해 나간다. 대신들은 '황표정사'라는 제도를 도입할 정도로 국왕 대신 국사를 처리한다. 황표정사란 인사지명권을 위임받은 신하들이 미리 대상자에게 황색점을 찍어 놓으면 왕은 이를 보고 거기에 낙점을 하는 방식으로 단종의 왕권이 아직은 미약함을 뜻한다. 조정의 대신들은 세종의 3남인 안평대군과 연립권력과 같은 모양새를 만든다. 시와 그림에도 능해 예술가적 기질이 있던 안평대군은 고명대신(왕의 유언에 따라 국정을 관리하는 신하)들과 함께 정국을 주도해 나갔다. 조정의 대신 입장에서는 야심만만한 수양보다는 기질적으로 안평대군이 오히려 다루기 편한 사람이었기 때문이다. 수양은 권력을 찬탈하기 위해 호시탐탐 기회를 엿보는 중이었다.

얼굴을 보면 그 사람의 모든 것을 꿰뚫어 보는 천재 관상가 내경. 처남과 함께 하나 밖에 없는 아들 진형과 산속 깊이 칩거하여 산다. 필시 과거 집안에 무슨 내력이 있는 듯하다. 어느 날 하루는 한양에서 기생 연홍이 찾아온다. 그녀는 내경에게 한양으로 올라와 본격적으로 관상을 좀 봐줄 수 없냐고 요청한다. 물론 많은 돈과 함께 말이다. 내경은 찾아온 두 사람의 얼굴을 보고 단박에 이렇게 말한다.

"갓쓴 양반은 전택궁(두눈과 눈덩이)의 눈빛이 재복이 없고 눈썹이 까맣고 눈이 작고 동그란 것이 장사엔 관심이 없구만. 그리고 우리 마나님은 장사에 관심도 있고 수완도 있소만 비단이나 팔 상이 아닌데. 거짓말만 할거면 가시오."

연홍과 사내는 내경의 관상 보는 솜씨를 보고 반해 버린다. 내경과 처남은 아들 진형이가 떠나 버린 마당에 이곳에 머물 이유도 없고 해서 한양으로 옮겨 온다. 연홍의 기방에서 사람들의 관상을 봐주며 호의호식을 하게 된 두 사람은 삽시간에 장안의 화제가 되어 내경에게 관상을 보기 위해 사람들은 인산인해를 이룬다. 어느 날은 관아의 의뢰를 받고 부녀자 살해범의 진범을 잡아내기도 한다.

용하다는 소문이 장안에 돌자, 당시 최고의 실세이며 호랑이로 불리는 좌의정 김종서의 명을 받고 사헌부에 들어가 인재 면접 시 관상을 보고 평가하는 일을 하게 된다. 이러던 차에 내경은 우연히 수양대군의 관상을 보고는 역모의 상임을 직감적으로 알게 된다. 관상쟁이 내경은 조선의 위기를 자신의 힘으로 바꿔볼 생각으로 김종서와 함께 단종에게 수양을 조심할 것을 아뢴다. 허나 단종은 반신반의

하고 이를 믿게 하기 위해 내경은 수양을 마취하여 얼굴에 점을 새겨 놓는 계략을 꾸미나 결국 수양을 사전에 제거하는데 실패한다. 천하의 관상쟁이도 사람의 관상대로 운명이 가는 걸 막을 순 없었나 보다. 목숨을 잃을 처지에 놓인 아들을 살기위해 내경은 수양에게 살려달라고 애원한다. 수양은 살려줄테니 자기의 관상을 봐달라고 한다. 내경은 살기위해 수양의 관상은 '성군이 되시어 이 나라를 부강하게 만들 상이옵니다'고 말한다. 그러나 잔인한 성격 그대로 수양은 결국 진형을 활로 쏴 죽인다. 모든 걸 잃고 자신도 겨우 목숨만을 부지하게 되는 비참한 운명을 맞이한 내경. 내경은 비참하게 죽어갈 아들의 운명과 자신의 운명까지는 몰랐던 것일까?

영화의 첫 장면은 세조 때 최고의 공신이었던 한명회가 임종을 앞두고 유언을 하는 모습에서 시작된다. 한명회는 이렇게 말한다.

"결국 그 관상쟁인가 하는 놈이 틀렸어. 예전에 내 얼굴을 보더니 부관참시 상이라고 했단 말이지. 헌데 난 이렇게 안방에서 편안하게 눈을 감고 있지 않나."

그러나 결국 내상의 예언이 맞음을 역사가 증명하게 된다. 한명회는 이후 연산군의 갑자사화 때 관이 다시 뽀개어지고 사지가 능지되는 오욕을 겪게 되니 말이다.

내경이 아들을 잃고 겨우 목숨을 건져 어느 바닷가 마을에 은거하고 있을 때 한창 주가를 날리고 있던 한명회가 찾아온다. 내경은 이렇게 말한다.

"당신들 얼굴은 별난 거라도 있는 줄 아시오? 수양은 그냥 왕이 될 사람이었을 뿐이오. 난 사람의 얼굴을 봤을 뿐 시대의 모습을 보진 못했소. 바다의 파도만 본격이지요. 바람을 봐야 하는데 파도를 만드는 건 바람인데 말이오."

이는 관상으로만 인간의 운명이 결정되지 않는다는 것을 스스로 고백한 말이다. 이는 영화 〈관상〉의 연출자인 한재림 감독의 운명관하고도 일치한다. 영화의 등장인물이 카메라에 잡힐 때 모두가 뒷모습이나 신체의 다른 곳부터 보여주고 있다. 이 역시 얼굴만이 인간의 운명을 결정하는 절대적 요소가 아니라는 생각을 표출한 것이다. 또한 인물을 잡을 때도 역광으로 촬영하여 운명을 거슬러 극복하는 모습을 표현하기도 하였다.

한참 있다가 내상은 한명회의 몰골을 가만히 보더니 "끝이 좋지 않구려. 목이 잘릴 팔자요" 라고 툭 던진다. 한명회의 운명을 내경은 이미 알고 있었다.

조선이 개창되고 세종이 즉위하여 나라의 국운이 열리고 부국강병의 토대가 마련되어 가는 시기. 세종이 죽고 장자인 문종이 즉위한 지 겨우 2년 만에 종기가 악화되어 죽고 만다. 13세의 어린 단종이 보위에 오르게 된다. 문종은 죽기 전에 왕실인사 중 섭정을 맡을 사람이 없는 것을 염려하여 황보인, 김종서에게 어린 단종을 잘 보위해 달라고 신신당부한다. 수양은 세종의 둘째 아들이었다. 야심가이며 무예에도 능했고 리더십도 있었다. 그는 책략가 한명회를 영입하고 정권을 찬탈할 계획을 하게 된다. 먼저 김종서를 철퇴로 격살하고 궁궐에 난입하여, 입궐하는 신하들을 차례로 제거한다. 한명회는 궁궐 입구에 서 있다가 죽여야 할 사람은 신호를 보내 철퇴로 내려찍어 죽이도록 하였다. 그야말로 한명회 손가락 하나가 살생부의 역할을 한 것이다. 영화에서 이 장면이 모두 단종이 보는 앞에서 벌어지는 걸로 연출된다. 이 사건이 바로 '계유정난'이다.

실권을 잡게 된 수양은 주요 요직을 겸직하며 왕노릇을 한다. 수양의 겁박에 겁에 질린 단종은 결국 삼촌 수양대군에게 스스로 왕위를 양위한다. 수양은 자신의 동생인 안평대군을 먼저 제거하고 금성대군까지 역모를 꾸민다하여 유배를 보낸다.

세조가 계유정난을 일으킨 명분은 단종이 어리다는 이유로 김종서와 황보인 등이 국정을 농단하고 역모를 꾸미고 있다는 것이었다. 하지만 당시의 정황을 봤을 때 전혀 설득력이 없다. 단종실록은 어차피 승리자의 기록이라 세조의 명분을 뒷받침하긴 하지만 실체적인 정황적 증거를 제시하지 못했다. 계유정난 때만 해도 일부 대신들은 김종서 등의 제거를 어쩔 수 없었다는 쪽으로 정리하기도 했다. 단종의 왕권강화 측면에선 불가피한 선택이었다는 의견이었다. 그러나 단종을 강제로 퇴위하고 스스로 왕위에 오른 세조를 보고는 왕위찬탈에 의한 계획된 거사였음을 뒤늦게 알게 된다. 이듬해 단종복위 운동이 역사에 사육신과 생육신으로 일컫는 신하들에 의해 꾀해지지만, 세력 중의 한사람이 거사계획을 사전에 누설함으로써 체포되고 만다. 이들을 친히 국문을 한 세조는 박팽년에게 "너희는 나를 임금이라 모시지 않으면서 그간의 녹봉을 그리 잘 챙겼더란 말이냐?"하자 박팽년은 끝까지 수양대군을 왕이라 부르지 않고 "나으리, 제 집의 광에 나으리께서 주신 하사품은 모두 그대로 잘 놔두었습니다"하여 사람을 시켜 확인해본 결과 광에는 손도 안댄 녹봉이 그대로 있었다 한다. 사육신은 성삼문, 박팽년, 하위지, 이개, 유응부, 유성원을 이르는 말이며 생육신은 김시습, 원호, 이맹전, 조려, 성담수, 남효온을 지칭한다. 생육신인 이들은 목숨을 잃지는 않지만 평생을 관직에 나서지 않고 은둔하며 두문불출하며 단종을 추모했다고 한다. 사육신과 생육신의 충절은 지금도 많은 이들에게 지조 있는 신하로 추앙되고 있다. 그들의 당시 심경을 담은 시조 두 편을 소개해 본다.

> 이 몸이 죽어가서 무엇이 될꼬하니 / 봉래산 제일봉에 낙락장송 되었다가
> 백설이 만건곤 할제 독야청청하리라 (성삼문)
> 간밤에 불던 바람 눈서리 쳤단 말가 / 낙락장송이 다 기울어진단말가
> 하물며 못다 핀 꽃이야 일러 무삼하리오 (유응부)

사육신의 단종복위 운동을 진압한 후, 상왕이 된 단종을 바라보는 세조의 마음 한구석은 항상 께름칙한 맘이었다. 언제 누가 단종복위 역모를 꾸밀지 모르는 것이다. 세조는 단종을 노산군으로 강봉하고 영월로 유배를 보내 버린다. 그곳에서 단종은 스스로 목을 매어 죽는다. 단종의 나이 열일곱이었다.

영월 객사에서 단종이 읊었던 시 한 구절이다.

원통한 새 한 마리 궁에서 쫓겨나와 / 외로운 몸 그림자 푸른 산 헤매네
밤마다 자려해도 잠은 오지 않고 / 해마다 한을 없애려 해도 없어지지 않는구나
울음소리 끊어진 새벽 산엔 으스름달 비추고 / 봄 골짜기엔 피 토한 듯 떨어진 꽃이 붉어라
하늘은 귀먹어서 이 하소연 못 듣는데 / 어찌하여 서러운 이내 몸 귀만 홀로 밝았는가

세조는 왕위에 오르자 왕권강화 정책을 펴 나간다. 태종 때의 6조 직계제를 부활하고 반역의 온상지 역할을 하던 집현전을 폐지한다. 한명회, 정인지, 신숙주 등의 공신세력을 지나치게 중용하여 국정 전반운영에 무리수를 두게 되고 이후 조선전기 정치적 경제적 특권층인 훈구파를 만들어 냈다. 훈구파는 이후 사림파를 견제, 제거하기 위해 4대 사화를 일으키게 된다. 세조왕조의 두 축은 신숙주와 한명회였다. 둘은 같으면서도 상당히 다른 캐릭터를 갖고 있다. 신숙주는 정통관료의 길을 걸어 엘리트적인 면이 있었다면 한명회는 그야말로 잡초처럼 커온 책략가였던 것이다. 한 예화를 들어보면 신숙주보다는 한명회가 한 수 위였음을 알 수 있다. 하루는 세조와 한명회, 신숙주가 술을 마셨다. 취한 신숙주는 세조에게 다소 무례한 언행을 보였다. 그 자리가 파한 후 세조가 곰곰이 생각해보니 화가 치밀었

다. 아무리 취했다지만 왕인 나에게 그리 행동했다는 게 괘씸한 생각이 들었다. 그래서 내시를 시켜 신숙주가 지금 무엇을 하는지 살펴보라고 시킨다. 한명회는 미리 신숙주에게 오늘 밤만은 잠에서 깨도 책을 읽지 말고 그냥 주무시라 귀띔해 준다. 신숙주는 아무리 취해도 잠시 깨어나면 책을 읽는 습관을 잘 알고 있었기 때문이다. 푹 자고 있다는 보고를 들은 세조는 숙주가 정말 상당히 취해서 그런 행동을 한 거라 이해하고 넘어갔다 한다.

세조의 말년은 그리 평안하지는 않았다. 세조가 잠에 꿈을 꾸었는데 단종의 어미인 현덕왕후가 나타나 세조의 얼굴에 침을 뱉었다고 한다. 꿈에서 깨어 보니 침을 뱉은 자리에 종기가 나기 시작해 결국 이 종기가 온 몸에 퍼져 죽었다든지, 단종의 부인인 정순왕후가 단종이 유배되어 있는 영월 쪽을 보려 날마다 올라 돌처럼 굳었다는 동망봉 전설, 새로운 사또가 부임만 하면 죽어나가곤 했다는 영월 이야기 등 단종애사는 우리들의 맘속에 오랫동안 남아 있다.

세조는 유교국가의 임금이었지만 불교를 숭상하였다. 자신이 과거에 저지른 일들을 후회하면서 사찰인 원각사를 짓고 그곳에 십층석탑을 짓기도 하였다. 세조의 집권과정을 보면 한국 현대사의 5.17 군사 정변과 상당히 흡사한 점을 발견 할 수 있다. 박정희대통령이 시해되고 권력의 공백기에 새롭게 등장한 신군부는 권력찬탈의 장애물이었던 정승화 육군참모총장을 쿠데타 혐의로 불법으로 체포연행한다. 이는 문종이 죽고 권력찬탈을 꾀했던 세조가 왕권찬탈의 일차 방해물이었던 김종서, 황보인 등을 격살한 것과 비견된다. 이후 신군부는 당시 권력을 승계한 최규하 대통령을 총으로 협박하여 반강제적으로 하야 시키고 선거인단을 졸속으로 만들어 제5공화국을 탄생시킨다. 이 또한 단종을 보위했던 대신들을 없애고 단종을 겁박하여 스스로 왕위를 양이하여 세조로 등극했다는 점 등이 상당히 유사하다 할 수 있다. 역사의 평행이론 같은 느낌이 든다. 역사는 결국 반복되는 것일까?

세조는 자신의 운명을 감지한 것인지 세자에게 보위를 넘겨 줄 채비를 지시한다. 이에 세자가 즉위하니 조선 제8대 임금 예종이다. 예종의 즉위식 다음날 바로 세조는 세상을 떠난다.

조선시대

〈간신〉

연산,
여인들 그리고 간신

조선역사상 희대의 폭군으로 알려진 연산. 그의 생애가 워낙 역동적이고 엽기적이라 한국영화의 소재로 여러 차례 차용된 건 어찌 보면 당연한 것이리라. 신영균이 연산군 역할을 했던 영화 〈연산군〉을 시작으로 '공길'이라는 광대와 연산군간의 미묘한 동성애 코드를 가지고 이야기를 풀어 2005년도에 천만흥행을 기록했던 〈왕의 남자〉가 연산을 소재로 한 대표적 작품이었다.

2015년에 개봉한 영화 〈간신〉은 본격적인 연산의 패악과 문란했던 행적을 본격적으로 리얼하게 보여준다. 물론 팩션(faction, 픽션과 논픽션을 합쳐 가공한 스토리)이긴 하지만 연산의 광기어린 집권세월을 비교적 여과 없이 정면으로 응시하면서 조선조 폭군의 전설인 연산을 표현해 냈다. 그러나 이전의 연산군을 다룬 영화와는 다르게 시점을 조금 바꿨다. 연산을 희대의 연산답게 만들었던 간신들의 이야기를 중심으로 영화는 펼쳐진다. 당대의 간신배이자 소인의 대명사로 불렸던 임사홍, 임숭재 부자가 극을 끌고 간다. 영화는 그들이 보는 연산과 주변의 이야기들, 권력에 기생하여 목숨을 부지코자 했던 사람들과 폭군에 의해 억울하게 죽어간 많은 사람들의 핏빛 향연을 적나라한 화면으로 담아낸다. 그래서 오히려 더 비현실적으로 보인다.

영화 〈간신〉의 충격적이고 엽기적인 색깔을 적나라하게 보여준 장면은 오히려 영화의 마지막 씬에 등장한다. 감독은 이탈리아 영화감독 파졸리니의 영화를 오마주(존경에 대한 표시) 하겠다고 작정이라도 한 듯 카메라를 거침없이 들이민다. 연산이 반정의 무리들을 피해 골방에 갇히게 되면서 돼지떼들과 성적인 교합을 연상시키는 짓을 벌이는 장면이 그것이다. 한국영화에서는 보기 드문 파격적 장면이다. 연산이 이제 자신의 운명이 막장까지 왔다고 생각하고 환청과 환각에 빠지게 되어 벌어지는 것으로 표현된다. 이 장면에서 여성관객 중 몇 명은 극장 문을 박차고 나갔다고 한다. 과연 영화에서 보여진 연산군의 이야기는 어디까지 사실이고 어느 정도까지 스토리로 가공 되었을까?

조선역사에 '군'으로 불리는 왕은 딱 두 사람이 있다. 조선의 왕들은 죽은 후 묘호, 시효를 받아 종묘에 안치된다. 허나 연산군과 광해군만 '군'이란 타이틀로 역사에 기록되었다. 둘 다 반정, 즉 쿠데타로 물러난 왕이라는 공통점이 있다. 반정을 통해 집권한 세력은 당연히 선대의 왕에게 후한 점수를 줄 수 없는 법. 반정의 명분을 세워야 했기에 선대왕의 악행과 허물을 과장되고 부풀려 기록할 수밖에 없었으리라. 이런 점에서 손해를 많이 본건 사실 광해군이다. 폐모살제(어미를 폐하고 동생을 죽임)라는 패륜적 대죄를 저질렀다는 대내적 명분과 은인이자 사대로 모셔야 할 중국 명나라에 대한 배신이라는 유교적 입장을 앞세워 인조가 반정의 기치를 내걸고 광해군을 몰아내고 집권한다. 그러나 사실은 서인 세력의 붕당적 이해를 기반으로 한 쿠데타적인 성격이 짙다. 최근에 드라마로 방송되었던 〈화정〉이나 이병헌이 광해군으로 등장했던 〈광해〉를 보면 광해의 평가는 최근 들어 사뭇 달라지고 있음을 알 수 있다. 당시 조선은 꺼져가는 명나라와 부흥하는 금나라 사이에서 국익우선의 정책을 펴고 있다는 걸 알 수 있다. 광해는 중립외교를 통해 민생을 안정시키고 국가를 보위하는 대 외교 전략의 모범을 보여준다. 임란을 겪으며 전쟁의 폐해를 너무나 잘 알고 있는 광해군은 전쟁만은 이 땅에서 막아야 하기에 어떤 수를 써서라도 불행한 일이 또다시 반복되길 바라지 않았으리라. 광해군과 연산군은 그래서 다른 역사적 평가를 내려야 한다.

연산의 어린 시절은 평범했다고 한다. 그의 이름은 '이융'이었고 성종의 각별한 애정을 받고 자란다. 연산은 아버지 성종이 대신과 대간들에게 시달리는 모습을 자주 보곤 했다. 어쩌면 이런 모습을 보고 자란 연산이 후일 왕위에 올라 더 이상 그들에게 휘둘리지 않고 자신의 생각대로 정사를 펴게 된 심리적 동기가 되었는지도 모른다. 연산의 성정이 괴팍했던 일화 하나를 소개하자면 연산이 어린 시절에 성종이 키우던 사슴을 못살게 굴었나보다. 이를 본 성종이 왜 말 못하는 짐승을 못 살게 하느냐고 꾸짖자 그 자리에선 대꾸를 하지 않고, 왕좌에 오르자 제일 먼저 한일이 그 사슴을 죽여 없앴다고 한다. 왕위에 오른 연산은 '대신들 길들이기'에 맨 먼저 나선다. 자신의 의견을 끝까지 관철하려고 했으며 성종의 시호를 내리는데 반대한 유생들을 엄하게 처벌하기도 하였다. 영화 〈간신〉에서 젊은 대신들이 용서를 청하였을 때 연산은 이렇게 얘기했다.

"나도 역사에 아름답게 기록되지 않으리라는 걸 잘 아오. 허나 위를 능멸하는 풍습은 고치지 않을 수 없소." 이 말은 후일 벌어질 핏빛 잔혹사의 예고를 보여주는 듯하다.

우리가 조선의 역사를 살펴볼 때 4대 사화라 하여 사림들이 큰 화를 입는 사건이 있다. 성종부터 사림을 언관직으로 적극 등용한 성종은 이들로 하여금 훈구파를 견제케 하였다. 훈구파란 세조집권 시 계유정란에서 공을 세운 신하와 세조가 왕위에 옹립되도록 결정적인 역할을 한 사람들을 일컫는다. 이후 훈구파는 공신이라는 배경으로 정국를 주도했으며 왕권까지 위협할 정도의 힘을 갖게 된다. 이에 성종은 고려 말 낙향하여 향촌자치와 왕도정치를 주장하며 성장한 사림을 대거 등용함으로써 정치권력의 균형을 꾀한 것이다. 훈구파와 사림파가 정권을 양분하게 되자 훈구파의 사림파에 대한 견제가 더욱 심해진다. 훈구파의 사림파에 대한 정치적 테러. 이것이 바로 네 번의 사화로 나타난 것이다. 연산군 때 무오사화가 그 첫 번째이다. 발단은 이러하다. 실록청 당상관이었던 이극돈이 우연히 사초를 살피다가 자신의 비행이 담긴 글을 발견케 된다. 이극돈은 훈구파였다. 이극돈은 김일손에게 수정을 요구하나 거절당한다.

김일손은 사림파의 대부인 김종직의 제자다. 이에 앙심을 품은 이극돈은 유자광에게 그 사실을 알린다. 유자광은 사초를 다시 살펴보더니 더 놀라운 내용을 발견하고 이것이 정국에 어마어마한 후폭풍을 일으킬 호재임을 간파한다. 그것은 바로 '조의제문'이었다. 이는 중국의 초나라 의제를 조문하는 글인데 사림의 거두인 김종직이 쓴 글이다. 표면적으론 중국의 의제를 추모하는 내용을 담고 있으나 내용을 꼼꼼히 살펴보면 세조가 단종을 죽인 것을 빗댄 글이었으니 연산의 분노는 극에 달한다. 이미 죽은 김종직은 부관참시 되고 이와 관련된 사림파들은 효수, 참수된다. 이것이 4대사화의 첫 번째 무오사화의 전말이다. 얼핏 보면 단순히 권력에 소외됐던 유자광의 고자질로 유자광이 사림들에게 멋지게 복수하였다고 보이나 내막을 들여다보면 연산군의 고도의 통치술이었음을 알 수 있다. 집권 4년 동안 연산에게 사사건건 간언했던 귀찮은 존재였던 대간세력, 즉 사림파들을 일거에 제압할 수 있었기 때문이다.

이후 5년간의 안정기가 지나간다. 연산은 성종과 성정이 매우 달랐다. 연산의 아버지 성종은 매를 좋아했으나 대간의 눈치를 봐야 했다. 일국의 왕은 그런 잡스런 취미를 가지면 안된다는 이유에서다. 허나 연산은 자신의 사생활에 관한 어떠한 간섭도 받길 원하지 않았다. 연산은 더 나아가 사치와 향락에 빠지기 시작했다. 《조선왕조실록》에 보면, 흰고래 수염 20개를 구해오라고 하는가 하면, 어린아이 몇 명이 궁궐을 엿봤다는 이유로 부모와 이웃 등 수십 명의 백성이 끌려가 매질을 당하기도 했다. 그러나 이 정도는 빙산의 일각이며 폭풍속의 전야였다. 연산은 신하들과 자주 연회를 열었다. 이 자리에서

예조판서 이세좌가 연산이 따라준 술을 흘려 임금의 곤룡포를 적셨다. 사소한 실수 하나를 가지고 연산은 이세좌를 유배시켜 버린다. 갑작스런 연산의 돌변에 대신들은 긴장한다. 이세좌는 바로 폐비윤씨를 사사시킬 때 사약을 들고 간 장본인이었기 때문이다. 드디어 연산의 친모였던 '폐비 윤씨 사사'라는 뇌관이 서서히 타오르고 있었기 때문이다. 이후 피비린내 나는 연산의 복수극이 잔혹하게 자행된다.

피의 갑자년, 연산은 궁궐 마당에 두 여자를 끌고 와 직접 몽둥이로 패기 시작했다. 성종의 후궁인 엄숙의와 정소영이다. 이어 후궁의 아들을 불러 매질을 당한 두 사람이 죄를 지은 여인네라 속이고 아들에게 매질을 직접 하라고 시킨다. 결국 두 후궁은 몽둥이질을 감당하지 못하고 죽는다. 이어 연산은 계모인 정현왕후(자순대비)를 윽박지르기도 했으며 연산의 할머니요, 성종의 어머니인 인수대비에게 '왜 제 어머니를 죽이셨습니까'하며 울부짖는다. 이에 충격을 받은 인수대비는 한 달 뒤 숨을 거둔다.

헌데 연산은 폐비윤씨의 사건을 어떻게 알게 된 것일까. 영화 〈간신〉에서 타이틀 롤을 맡았던 임사홍이 드디어 이쯤에서 전면에 등장하기 시작한다. 그리고 임사홍과 함께 연산의 오른팔이며 궁궐에서 펼쳐진 주지육림의 잔치를 총괄 기획한 임사홍의 넷째아들 임숭재의 정치력과 간계가 빛을 발하기 시작한다. 임사홍은 사림의 견제를 받아 벼슬길에 오르지 못하고 무료한 세월을 보내고 있었다. 아들 임숭재의 상소와 로비로 다시 관직으로 나아갈 수 있게 되었고 연산의 눈에 들기 위한 과도한 충성심의 발로로 폐비윤씨의 일을 귀띔한 것으로 추측된다.

영화의 첫장면은 여기서부터 이야기가 시작된다. 폐비윤씨의 생모가 폐비윤씨가 피흘린 적삼을 임씨 부자에게 건네주는 장면이다. 이를 임사홍은 연산에게 전한다. 간신은 무릇 왕에게 최고의 정보를 제공해주면서 자신의 지위를 유지시키고자 하는 속성이 있다.

〈간신〉은 연산군을 다룬 영화이나 연산의 시점이 아닌 조선 희대의 간신이었던 임숭재, 임사홍 부자의 시점으로 영화를 끌고 간다. 특히 임사홍의 아들 임숭재는 연산을 길들여 '왕위의 왕'이고자 했던 인물로 그려진다. 여기에 '단아'라는 가상의 여성을 등장시켜 연산을 파멸로 이끈다. 임숭재는 연산이 쾌락의 극치를 맛보게 하여 이성적인 통치를 할 수 없도록 해야 왕을 자신의 뜻대로 조정할 수 있다고 믿었으며 연산이 더욱 더 광기의 폭군으로 가야 소기의 목표를 거둘 수 있는 그야말로 간신이기 때문이다.

임숭재는 연산에게 '단 하루에 천년의 쾌락'을 약속한다. 임씨 부자의 정적은 장녹수이다. 이른바 충성경쟁이 벌어지는데 누가 더 연산의 맘에 드는 여자를 바치느냐가 그 척도가 된다. 여기에 임사홍의 단아와 장녹수의 설중매가 한편이 되어 궁중 암투가 벌어진다. 임사홍과 한편이 된듯해 보이는 단아는 사실 연산이 죽인 사림의 김일손의 여식이다. 단아는 목숨을 걸고 연산에게 접근한다. 그녀는 육체적 매력으로 육탄공격하는 설중매와 다르게 연산의 마음을 훔친다. 연회장에서 연산이 갖고 있는 치명적 아픔을 단아는 건드리기 시작한다. 연산의 어머니에 대한 사모의 정을 기생 단아가 읊조리는 시 한 구절이 연산의 눈에서 눈물을 촉발시킨다. 영화 〈간신〉에서 나온 단아의 시를 옮겨보면,

> 베갯머리위에 눈물/디딤돌 위의 빗물/창문하나 걸어두고/밤새도록 밤을 지니/기어코 하얀적삼이/붉게 붉게 물들었네

하얀 적삼이 붉게 물들었다는 부분에선 연산은 눈물을 뚝뚝 흘린다. 피 묻은 적삼은 바로 연산의 어머니 폐비윤씨에 대한 억울한 죽음의 상징적 증거이며 한 서린 사모의 표현이며 연산의 복수심을 일깨우는 오브제이다.

실제로 연산은 임사홍이 알려 줄 때까지 폐비윤씨의 사건을 몰랐을까? 아니면 좀 더 때를 보아 일거에 복수를 할 생각이었을까? 연산군이 지극히 감정적이고 즉흥적인 왕으로 알려져 있지만 실은 정치적 술수에 능통했던 왕이었다.

천년의 쾌락을 위해 연산은 임사홍과 임숭재를 시켜 전국의 미녀를 모집한다. 영화의 첫머리에 흘러나오는 자막에 《중종실록》을 인용하여 당시의 조선 전국의 미녀 수집을 이렇게 적고 있다. '연산군은 채홍사를 파견해 팔도의 미녀를 강제로 징발하고 그 수가 1만이 넘었다하니 그로 인한 원성이 하늘을 찔렀다'(중종실록)

'적삼의 피'의 복수를 연산은 본격적으로 시작한다. 당시 사건의 연루자라 하여 정창손, 심회, 한명회, 정인지 등 영의정까지 지냈던 사람들을 부관참시 하였고 폐비윤씨 사건에 관여하지 않았다 하더라도 자신의 의견에 평소에 반대를 일삼던 훈구파 대신이나 사림의 대간들도 무참히 죽였다. 갑자사화의 광풍이 어느 정도 잦아지자 이후에는 어느 대신과 대간도 연산의 초법적 정치행위에 토를 달기 어렵게 되었다. 자기의 목숨부터 지키고 볼일이었기 때문이다. 어찌보면 절대적 전제왕권의 폭압장치로 폐비윤씨의 복수가 활용된 것이다. 연산이 즉위한 이후에 상소를 올린 신하 중에서 괘씸죄에 걸려 효수된 사람이 부지기수였다. 심지어 어떤 신하는 연산이 신하들에게 시를 바치도록 명했을 때 혼자만 두 편의 시를 올린 것이 빌미가 되어 처형되기도 했을 정도였다. 이는 연산의 폭압이 어머니 윤씨의 복수의 결과로만 보기보단 그의 통치술에 폐비윤씨가 활용되었다는 게 더 맞는 말일 것이다.

어느 정도 신하 길들이기를 통해 전제적 왕권을 다진 연산은 쾌락의 정점을 향해 달려간다. 영화 〈간신〉에서는 주로 '흥청망청의 이야기'를 다룬다. 연산은 본래 시를 좋아하고 가무에도 능했다고 전해지며 잔치를 베풀고 풍악을 성대하게 울려 한바탕 노는 것을 즐겨했다. 기생의 수를 천명으로 늘리게 하여 이를 모아 이름을 흥청과 운평이라 짓고 악사도 천명으로 늘리도록 지시했다. 운평에는 미모의 여인들만 들어 갈 수 있었고 운평 중에서 용모가 뛰어난 여인들을 선발하여 흥청이 될 수 있었다. 허나 그 인원을 채우기가 쉽지 않아 전국에 채홍사를 두어 조선팔도의 미녀를 채집하기 시작한다. 그러나 연산의 미색에 대한 끝없는 탐욕을 다르게 보는 시각도 있다.《연산을 위한 변명》이라는 책에 나온 내용을 보면 연산은 기본적으로 여색을 탐한 게 아니고 허무주의에 입각한 여성관을 가지고 있었다고 한다. 자신의 권력관도 허무주의에 바탕하고 있는 것과 무관하지 않다는 것이다. 그에 대한 증빙으로 연산의 시 한 구절을 소개한다.

비단 소매엔 향기가 없고 거울엔 먼지끼니
한 가지의 꽃이 여위어 봄 모양이 아니네
십년 동안 군왕의 얼굴조차 보지 못하니
비로소 아름다움으로 잘못 살았음을 알겠노라
《연산군 일기》 중에서

연산이 승지들에게 화답을 요구하며 쓴 시라고 한다. 왕의 총애를 받던 여인이 늙어감을 한탄하는 내용이다. 연산을 변명코자 하는 사람들은 연산이 갖고 있는 삶과 권력의 허무가 맞닿아 있다고 주장한다. 영화에서도 이런 연산의 심중을 표현하는 대사가 나온다. 임사홍과 술자리에서 술이 취해 임사홍에게 눈물을 흘리며 말한다. '어차피 인생은 풀잎의 이슬 같은 것을...'

홍청 역시 의전기구였을 뿐 그 이상도 이하도 아니며 여인들과 정신적인 교류를 하고 싶었던 연산은 단지 예술과 음악과 시를 좋아하는 왕이라는 얘기다. 연산을 무너뜨린 반정세력, 즉 중종의 집권

세력들이 연산을 호색한에 빠진 광폭한 왕으로 만들었다는 주장인데 역사는 반드시 두 가지 면을 바라 봐야한다는 측면에서 그냥 귓등으로 들을 얘긴 아닌 것 같다.

영화에선 임사홍의 아들 임숭재가 왕이 누릴 수 있는 모든 것을 자신도 누려보고자 하는 장면이 나온다. 임숭재는 '나는 왕위의 왕이다'라고 큰소리 친다. 임사홍은 큰 소인, 아들 임숭재는 작은 소인이라 대신들의 지탄을 받았지만 연산의 신임은 두터웠다. 임숭재는 영화의 스토리와는 다르게 연산11년에 연산보다 먼저 죽는다. 그의 유언은 참으로 가당치 않게 '죽어도 여한이 없사오나 다만 미인을 바치지 못한 것이 한이옵니다'라고 하였다 한다. 연산에 대한 충성심은 알아줄만 하다. 영화 속의 임숭재는 나름 로맨티스트로 변모한다. 아비의 복수로 위장 잠입한 단아(정화)를 사랑하게 된다. 신하가 왕의 것을 탐하면 답은 불문가지이거늘 간신도 사랑 앞에선 눈이 멀어 버린 것일까? 모든 것을 다 가진듯한 임사홍 역시 한 여자로 인해 자신의 삶이 180도 바뀐다. 연산은 고급관료를 양성했던 교육기관인 성균관과 홍문관을 운평들의 훈육장소로 바꿔 버리고 이곳에서 오직 연산을 위한 방중술 교육이 시행된다.

연산군에서 빼놓을 수 없는 인물이 하나 있다. 영화에서 임씨 부자, 단아와 함께 연산을 놓고 라이벌 구도를 그렸던 장녹수이다. 장녹수는 집안이 가난하여 권세가의 가노로 들어갔다고 한다. 연산과의 로맨스 시절에는 당시의 나이로는 상당한 서른(아마도 지금의 마흔 정도)에 미모도 그리 뛰어나지 않았다고 적혀 있다. 장녹수는 육친 어미의 정을 느끼지 못한 연산군의 마음에 파고들었다. 애교와 교태가 흘러넘치면서도 어떤 때는 연산에게 반말을 하거나 아랫사람 대하듯 했다고도 한다. 변태적 습성의 연산의 취향으로 봤을 때 어쩌면 합이 잘 맞았는지도 모르겠다.

영화에서 연산이 재상의 부인을 탐하다가 여의치 않자 남편이 보는 앞에서 죽이는 장면이 나온다. 실제 있었던 일이다. 이때 매파 역할을 했던 사람이 바로 장녹수다. 연산이 바람을 피는 것 정도는 충분히 눈을 감아 줬던 통 큰 여자였다. 그로 인해 훨씬 더 많은 것을 얻을 수 있었으니.

하루는 연산이 연회를 개최하는데 어느 여염집 부인이 눈에 들어왔었나 보다. 녹수를 시켜 잔치가 끝난 후 좀 남아 있으라 이른다. 그 여염집 부인은 다름 아닌 이조판서의 부인이었다. 비슷한 이유로 잔치에 참여했다가 귀가하지 못한 정승 부인들이 많았다고 하니 가히 조정의 예와 체면이 땅에 떨어졌다고 할 것이다.

연산하면 또 한 명의 인물을 빠뜨릴 수 없다. 영화에선 부각되지 않았지만 내시 중의 충신이었던 김처선이다. 김처선은 연산이 화가 나 자신의 손발을 잘라 버리는 상황에서도 간언을 멈추지 않았다 한다. 피를 뚝뚝 흘리면서도 그러시면 안된다고 간언했다 하니 김처선의 충성심도 알아줄만 하겠다.

이제 연산의 시대도 점점 종말이 다가오고 있음을 짐작케 하는 대목이다. 결국 올 것이 왔다. 월산대군 부인 박씨의 동생 박원종과 그 무리들이 반정을 일으킨다. 중종반정이다. 반정은 바람처럼 순간에 이루어진다. 연산은 폐위되어 강화도로 유배됐다가 두 달 만에 병사한다. 그가 남긴 마지막 말은 '아내가 보고 싶다'였다고 한다. 조선 오백년 역사에서 큰 전쟁도 없었고 상대적 안정기를 누렸던 시기에 연산군은 로마의 네로황제와 같은 악행을 저지르고 사라진다. 연산 이후에 조선의 사림파에게 새로운 역사적 명분을 제공해 준다. 즉 온전한 왕이 아닐 시에는 강제로 물러나게 할 수 있다는 도덕적 명분과 선례를 남긴 것이다.

조선시대

〈명량〉

슈퍼스타 이순신,
백전백승의 신화

울둘목의 초저녁 바람은 거세다. 사위는 어두워져가 사물의 식별이 불가능해 보인다. 이순신 장군의 사저에는 장군의 아들인 이회만이 소반 겸상을 하고 앉아있다. 보이는 찬이라고는 간장종지와 백김치뿐이다. 옥중의 고문으로 인해선지 장군은 음식물을 씹어 삼켜 넘길 수가 없다. 그래서 멀건 죽 한 그릇에 간장 한 수저를 넣고 휘이저어 입에 넣는다. 이회는 이런 아버님의 모습을 물끄러미 보다가 조심스럽게 입을 연다.

"이참에 모든 걸 놓아버리시고 고향으로 돌아가시지요."

아버지의 성품을 평소에 잘 알고 있던 회가 작심한 듯 묻는다. 묻는 회의 눈썹이 가늘게 떨린다. 한모금의 죽을 입에 넣고 난 이순신은 회를 쳐다본다. 회는 말을 잇는다.

"이제 다 죽고 열 두 척만이 남았습니다. 설령 전장에서 승리한다한들 임금은 반드시 아버님을 버릴 것입니다."

어쩌면 냉정하고 명징한 정세분석일 수 있다. 선조가 이순신에게 갖고 있는 감정은 단순한 군신관계의 그것이 아님을 회는 잘 알고 있는 것이다.

"장수된 자의 의리는 충을 쫓아야하고 충은 백성을 향해야 한다."

낮게 깔린 장군의 목소리는 그 무게만으로 회의 마음을 흔들고 있다. 다시 한 번 묻는다. "임금이 아니고 말입니까?"

회를 보는 장군의 눈빛은 이제 자애로운 아비의 그것으로 변하였다. 마치 받아 적으라는 듯 온힘을 다해 또박또박 답을 한다.

"백성이 있어야 나라가 있고 나라가 있어야 임금이 있는 법이다."

1,700만 명이라는 한국영화 최고의 흥행 기록을 경신한 영화 〈명량〉. 천 억원 넘는 제작비를 들여 대규모의 실감나는 전투씬과 볼거리가 넘치는 영화에서 이순신과 그의 아들이 저녁을 들며 나누는 이 장면을 가장 인상 깊은 장면으로 꼽을 수 있다.

조선은 유자의 나라이자 성리학이 통치이념이다. 맹자가 설파한 왕도정치의 사상도 모든 근본을 백성에 두고 있다. 이순신의 '충'에 대한 언명은 어찌 보면 당연한 말인지도 모른다. 허나 이미 낡아 오래된 조선은 이 평범한 유교의 가르침마저도 군신에 대한 충성심만으로 환치 시켜버렸다. 왕에게 버림받은 장수, 그리고 전장에서 대승을 앞으로 거둘지라도 선조는 이순신에게 공훈을 내리지 않을 것 이라는 것을 아들 회 역시 잘 알고 있었으리라. 심지어 이순신 장군의 마지막 전투였던 노량해전에서 이순신의 자살설이 끊임없이 회자되는 이유도 전쟁 후 구차하게 살아 임금에게 죽느니 차라리 이곳에서 목숨을 내려 놓는 게 낫겠다고 생각한 장군의 결심이 은연중에 주위에 흘러 나왔기 때문일 것이다.

이순신은 결국 백성을 버팀목삼아 의지키로 한다. 자신의 신념을 내면화하는 동력은 바로 민초 백성이었던 것이다. 그래서 그 충은 바로 임금이 아니라 백성을 향해야한다고 얘기한다. 백성이 있어야 나라가 있다는 말은 오백년이 지나 세월호 침몰사건으로 어수선할 때 '국민이 있어야 국가가 있다'는 구호로 다시 선창되었다.

〈명량〉이 좋은 영화이긴 하지만 한국영화 흥행기록을 새롭게 기록할 정도의 영화는 아니었다는 게 영화계의 중평이었다. 대한민국의 인구를 감안할 때 1,700만 명은 비정상적 숫자일 수밖에 없다. 그렇다면 다른 이유라도 있었던 걸까?

〈명량〉이 흥행에 대박을 친 것은 당시 사회적 현상으로 설명할 수 있다. 영화 개봉시기는 세월호의 충격 여진이 아직도 우리들 가슴속에 남아있고 살신성인의 리더십이란 무엇인지 연일 언론의 화두에 떠오를 때였다. 온 국민의 마음속 상처에 아직 생채기가 아물기 전에 이순신은 무릇 진정한 충은 무엇인지 나라는 무엇을 향해 있어야 하는지 현재의 우리들에게 준엄하게 묻고 있다. 1,700백만 영화는 단지 영화가 훌륭해서 탄생할 수 있는 건 아니다. 시대정신과 대중의 기호가 맞아 떨어질 때 만들어질 수 있는 스코어다. 그래서 영화 흥행측면에서 보면 〈명량〉은 비극적인 사건 덕에 대박이 난 대단한 행운이었다 할 수 있다.

1592년 임진년, 임진왜란이 터진다. 조선이 건국한 해가 1392년이니 딱 200년만의 국난이다. 그간 왜구는 조선 초부터 조선의 해안가에 출몰하여 노략질을 일삼았다. 세종대왕은 모든 해안에 경비를 세울 수 없음을 잘 알고 사대교린 정책이라는 틀 안에 왜구를 달래는 몇 가지 정책을 내놓는다. 그중에 하나가 바로 삼포개항이다. 부산포, 제포, 염포를 개방하여 이곳에 왜구들과 무역을 증진하고 교역케 한다. 그러나 이후에도 중종시기의 삼포왜란, 명종 때 을묘왜변 등 심심치 않게 왜구는 국지전을 도발한다. 임진란 직전 일본은 바야흐로 통일시대로 막 접어든 시기였다.

토요토미 히데요시는 100년 동안의 막부 정치시대를 접고 일본을 통일한다. 그 여세를 몰아 조선침략, 나아가 명나라를 넘어 베트남까지 정벌코자 하는 야심을 드러낸다. 이른바 '정명가도'(일본의 토요토미 히데요시가 명나라를 정벌하기 위해 조선에게 길을 빌려 달라고 했던 말)를 명분삼아 조선에게 길잡이로 나설 것을 요구하며 조선의 부산포를 시발로 하여 전면적인 조선침략을 자행한다.

파죽지세는 이를 두고 하는 말. 거칠 것 없는 왜구의 북진은 조총과 신무기로 무장한 화력으로 관군을 제압해 나갈 수 있었다. 전쟁 발발 전 도발의 여러 징후를 포착한 조선조정은 논란 끝에 일본에 사찰단을 보내 정탐을 한다. 허나 이 역시 당쟁의 연장선상이었는지 황윤길, 김성일 두 동인, 서인의 의견이 갈라지면서 선조는 괜한 전쟁설로 민심을 혼란스럽게 하지 마라는 교시를 내리고 만다.

왜구가 부산진을 점령하고 빠른 속도로 북상하자 선조는 한양도성을 버리고 의주로 떠난다.그러면서 백성들에게는 절대로 이곳 수도를 버리지 않겠다는 거짓말을 한다. 이후 선조에 대한 민심은 급격히 식게 되고 분조(조정을 둘로 쪼개 종묘사직을 보존코자 하는 일)를 맡게 되는 광해에게 백성의 둘 곳 없는 마음을 의탁하게 된다.

애초부터 조선은 임진왜란을 극복코자 하는 전략이 부재했다. 그나마 내세웠던 군사작전이 일본은 수군이 강하니 육지로 유인하여 전투를 하면 승산이 있다는 정도였다. 그러나 이마저도 전혀 정세를 읽지 못한 패착이었다. 일본의 선박은 주로 보급선이었고 조선의 판옥선처럼 단단하지도 못하고 전투용으로도 적합하지 않았다. 오히려 육상에서 조총이라는 무기를 앞세운 왜병에게 관군은 속수무책으로 당할 수밖에 없었다.

선조는 당대 최고의 장군인 신립 장군을 믿었다. 오직 신립이 승전보를 보내 줄 것으로 생각하였다. 신립 역시 자신만만했다. 여진을 몰아내는데 대승을 거둔 기마병은 잘 훈련돼 있었고 조총에 대한 약점파악도 끝났다고 자신했다. 조총의 치명적 약점은 한발을 쏜 다음에 장전하기까지 시간이 많이 걸린다는 것이다. 장전을 준비하던 틈에 관군의 자랑인 활로 제압하면 이길 수 있다는 계산이었다. 그러나 왜군은 3인1조로 구성되어 있어 조총 한발을 쏜 다음에 연이어 다음 군사가 방아쇠를 당길 수 있는 시스템이었다. 조총이 당시에 대뽀로 불렸고 조선병사들은 대뽀도 없이 덤벼들었다 해서 무대뽀라는 말이 생겼다고 한다. 결국 신립장군마저 대패한다. 선조는 이제 목숨이라도 보존해야 겠다는 생각을 한 것 같다. 의주까지 피난을 떠났고 여차하면 명나라의 요동에 망명할 생각이었다. 왕이 도성을 버리고 도망간 사실을 안 백성은 경복궁을 불태워 버린다. 왜군의 손이 아니고 조선의 백성이 직접 불 질러 버린 것이다. 한양에 도달한 왜군은 오히려 당황한다. 왕이 도망간다는 건 왜군들의 전쟁 상식으로 도저히 이해 할 수 없는 일이었다. 당시 일본의 전쟁 전술은 성의 함락을 통한 점령이었다. 점령 당한 주군은 끝까지 싸우다 죽거나 할복하거나 하는 선택이었지 도망간다는 건 상상도 할 수 없었기 때문이다.

이때 등장한 인물이 바로 이순신이다. 이름도 없고 직급이 낮은 이순신을 서애 유성룡은 적극 천거한다. 대신들의 반대를 무릅쓰고 전라좌수영이 된 이순신은 옥포를 시작으로 연전연승의 쾌거를 이루어 낸다. 뜻하지 않은 복병을 맞은 일본은 당황하였고 전선의 계획에 차질을 빚어, 결국 연전연패의 수렁에 빠지고 만다.

선조는 서손(서자의 아들) 출신이다. 그래서 평생 콤플렉스에 시달렸는지 모른다. 선조가 아직 세자 책봉이 되지 않았던 때 어느 날, 명종이 왕자들을 모아놓고 익선관을 써보라고 한다. 모든 왕자들은 모두 익선관을 써보지만 선조만은 어찌 제가 감히 익선관을 써 볼 수 있겠습니까? 하면서 사양한다. 여기서 명종의 점수를 확실히 딴다. 결국 선조는 이 자리에서 익선관을 쓰지 않아 평생 익선관을 쓰게 되었다.

선조는 성종 때부터 꾸준히 성장해온 신진 사림을 대거 등용한다. 초기에는 척신정치를 배제하고 동인(신진사림), 서인(기성사림) 등과 정치를 펴 나간다. 선조시기 부터 바야흐로 붕당의 시대가 도래하게 되는데, 붕당이라 함은 같은 편끼리 뭉쳐 정치를 한다는 뜻이다. 일제 식민지 사관에서 '당쟁' 혹은 '패거리정치'라 폄하되기도 했으나 이는 부정적 측면만을 과대 포장하여 조선민족을 폄하하기 위한 도구로 쓰이기도 하였다.

동인과 서인으로 나뉘게 되는 이유는 사소한 이유에서 출발하였지만(외척청산과 이조전랑의 자리다툼) 후에 조선의 정치사상사를 구획하게 되는 출발점이 된다. 선조 집권기에는 명종시기의 외척청산이 시대적 화두였다(외척이라 함은 중전의 친척들을 뜻하는 말이다). 윤임과 윤원형의 외척 간 다툼에 사림이 화를 입게 되고(을사사화) 이후 외척청산이 주된 정치적 과제로 떠올랐기 때문이다. 이럴 즈음에 이조전랑(지금의 안전행정부 국장쯤 되는 자리, 직위는 낮지만 공무원의 인사권을 갖고 있다)이라는 자리에 오른 김효원을 심의겸이 예전에 김효원이 윤원형의 문객이며 외척에 기대어 살아온 선비라고 비난하면서 싸움은 시작된다. 외척 청산에 보다 강경한 김효원이 살던 곳이 동쪽이라고 해서 동인, 관료 세력화된 기성사림인 심의겸이 살던 곳이 서쪽이어서 서인이라 이름 붙이게 된다. 마치 1970~80년대 야당지도자였던 김대중과 김영삼의 거주지를 따 동교동계, 상도동계라 불린 것과 같은 맥락이라 하겠다.

명분을 갖고 있는 동인세력은 선조 초기에 집권을 하게 된다. 조정의 주요 관리들은 동인세력으로 채워진다. 그러나 선조는 정여립의 역모사건이 터지자 서인의 영수였던 정철에게 수사를 지휘토록 하여 정여립 사건에 연루된 동인의 상당수를 처형함으로써 집권세력인 동인을 견제하는 노회함을 보인다. 정여립은 어린 나이에 문과에 급제하여 총명함을 인정받았으나 이율곡이 죽고 나서 서인에서 동인으로 노선을 변경해 버린 후 선조의 미움을 받았다. 이후 낙향하여 고향에 머물다가 대동계를 조직하여 군사훈련을 하게 되는데 이를 역모로 뒤집어씌운 것이다. 정여립 체포 명령이 떨어지자 정여립은 자결하고 말아 이 사건의 진실은 영원히 베일 하에 가려지고 만다. 정여립 모반사건이 정리되고 조금 잠잠해지자 당시 동인을 무참히 학살했던 정철 역시 세자건저(왕의 후계를 정하는 일) 파동을 둘러싸고 선조의 미움을 받고 유배를 가게 되는데 때는 이때다 싶게 동인이 정철에 대한 복수의 칼날을 겨눈다. 정철의 정치적 처벌을 둘러싸고 동인 내에서 다시 파벌이 나눠져 대립케 되는데 정철 처벌에 강경한 북인과 정상 참작파인 남인으로 다시 나뉘게 된다. 사실 조선의 정치사상사를 보면 붕당 초기에 보여줬던 건강한 통치철학의 논쟁을 벗어나 자파의 이익을 위해 대립되는 모습이 심화되어 갔음을 부인하기 어렵다.

이순신은 서울 건천동에서 출생하였다. 지금도 명보극장 근처에 이순신 생가 지표석이 서있다. 이순신은 무과 과거에 낙마한 후 다시 도전하여 뒤늦게 32살에 급제한다. 북방의 장수로 발령받고 여진족을 진압하는 등 크고 작은 공훈을 세운다. 허나 워낙 원칙과 소신이 뚜렷하여 윗사람에겐 인정을 받지 못하고 한직과 변방만을 전전하게 된다. 건천동의 동네 형님이었던 류성룡의 천거로 임진란이 일어나기 1년 2개월 전에 전라좌수사로 임명되었고 임란 초기 왜군의 수군을 격파하는 등 눈부신 전과를 올린다.

조선은 명나라에 급히 원군을 요청한다. 명나라의 당시 상황은 어땠을까? 명나라 신종은 주지육림에 빠져 정사를 소홀히 하여 중국 내에서도 반란이 끊임없이 일어나고 있었다. 파견된 명나라 군대란 사실 싸울 의사도 명분도 시원치 않았다. 이때 명의 사신 심유경과 왜장 고니시간의 밀약이 이루어진다. 서로 적당히 조선을 찢어 먹고 전쟁을 마무리 하자는 협잡이었다. 그러나 이 사기극이 조선은 물론 명나라와 일본을 발칵 뒤집어 놓았다. 결국 일본과 명나라의 휴전협정이 결렬되고 정유년에 왜란이 다시 발발한다. 이것이 정유재란이다. 정유재란 초기에 이순신은 조정의 출전명령을 거부했다는 모함으로 삭탈관직 되고 만다. 선조의 근거 없는 원균에 대한 지나친 총애와 이순신에 대한 질투가 어우러져 벌어진 사건이었다. 선조는 이순신을 처음엔 사사하라 명한다. 류성룡도 감히 이를 어쩌지 못하고 있던 차에 정탁이라는 신하가 나서서 전시에는 장수 한명이라도 귀중하다고 간절히 진언하여 목숨을 건지게 된다.

왜가 이순신을 제거하기 위한 정치적 모함도 한 몫 한 결과로 보인다. 왜는 이순신의 사기를 꺾기 위해 이순신의 가족이 있는 아산에 군사를 파견해 이순신의 셋째 아들 이면을 무참히 죽이고 만다. 이순신은 가슴에 아들을 묻고 고향 노모에게 절 한번 드리지 못하고 백의 종군을 하게 된다. 바로 여기까지가 명량대첩 직전의 정치적 상황이었다.

다시 삼도수군통제사로 돌아온 이순신에게 주어진 판옥선은 달랑 12척이었다. 이순신은 왕에게 장계를 올리면서 그 유명한 "신이 있는 한 적들도 저희를 업수이 여기지 못할 것입니다"라며 "아직 12척의 배가 남아있습니다"고 한다. 또한 육지로 퇴각하여 싸우라는 권율의 명령에 항명하기도 한다. 수군이 전략적으로 왜를 상대하기에 더 수월하다는 판단에서였다.

울둘목의 물살을 오랫동안 지켜보며 전투준비를 하는 이순신.

사실 영화 〈명량〉에서 좀 더 다뤄주었으면 하는 부분이 이순신의 인간적 면모였다. 이순신도 나약한 인간임을 보여주는 장면이 단지 군율을 어겨 이순신이 처형한 부하 장수들의 혼백이 이순신의 꿈에 나타나는 모습 정도로 처리되어 아쉬웠다. 고향에 홀로 남겨진 노모, 왜군들의 손에 죽어간 셋째 아들 이면, 왕에게 버림받고 겨우 목숨만 건져 백의종군한 전장터, 그의 손에 있는 거라곤 12척의 배와 사기가 꺾인 수군. 그리고 앞바다에 포진하고 있는 왜선 300척. 우리는 왜 이순신을 위대한 성웅이라 부르는 걸까? 절대적 외로움에 놓인 이순신의 초인적인 인내와 힘은 어디에서 나왔던 것일까? 절박한 상황을 뚫고 세계 해전사에 빛나는 무훈을 세운 이순신의 힘은 과연 무엇에서 올수 있었을까? 명량해전을 앞두고 이순신이 쓴 휘호에 그 답을 찾는 수밖에.

'죽으려는 자는 반드시 살고 살려는 자는 반드시 죽는다'.

영화 〈명량〉에서 흥미롭게 눈여겨 볼 점이 하나 있다. 이른바 항왜

(항복한 왜군)가 상당수 등장한다. 이들은 전쟁 내내 왜군을 막는데 혁혁한 공을 세우기도 한다. 준사라는 항왜는 실제 일본배우 오타니 료헤이가 연기한 것이다. 한국배우 박정철과 상당히 흡사하여 한국배우로 오해를 사기도 했다. 실제 임란기간 동안에 항왜는 무려 만 명 정도나 되었다. 마찬가지로 조선인 중에서 왜군에 자발적으로 참여한 사람도 상당수 있었다. 이를 순왜라 불리는데 오랜 굶주림과 조선왕조에 대한 실망, 왜군의 협박으로 인해 피치 못해 부역한 사람도 있었으리라. 이들은 왜군의 길라잡이나 정보제공 등으로 참여하였다.

결국 토요토미 히데요시는 '몸이여, 이슬로 와서 이슬로 가나니, 오사카의 영화여, 꿈속의 꿈이로다'라는 절명시를 남기고 병사한다. 더 이상 전쟁을 끌고 갈 동력을 잃은 일본은 전쟁을 끝내려 한다. 그러나 이순신은 '전쟁은 내가 끝내야 끝내는 것'이라 말한다. 전쟁을 일으킨 건 일본이지만 순순히 끝내도록 내버려 두지 않겠다는 뜻이다. 명량대첩을 마무리 한 후 영화에서 이순신은 아들에게 이렇게 말한다.

"천행이었다. 백성들이 구해주지 않았다면...무엇이 더 천행이겠느냐?"

대승을 거둔 이순신은 혁혁한 전과 역시도 백성들에게 공을 돌리는 모습을 보인다. 그는 이후 노량대전에서 전사한다.

이순신역을 맡은 배우 최민식은 언론 인터뷰에서 이렇게 얘기했다.

"왜 그런 고생을 사서 하셨습니까?" 평범한 사람의 입장에서 그런 초인적 인내와 행동들이 도저히 납득이 가지 않았다고 한다. 그래서 이순신 장군을 만나면 맨 먼저 이렇게 물어보려고 했다는 거다.

"대부분의 캐릭터는 감독이나 배우들과 이야기를 나누다 보면 뭔가 잡히는 게 있어요. 그들과 마시는 술의 양만큼 그 캐릭터를 내 것으로 만들어왔지요. 헌데 〈명량〉은 지금까지 했던 방식이 도통 들어맞질 않네요."

이순신의 방문을 수차례 두드려봤지만 문을 열어줄 것처럼 하시다가 끝까지 그대로였다는 것이다. 참 야속했다고 한다. 〈명량〉 후속작을 얘기하고 있는 요즘 최민식은 일찌감치 선을 그었다. 다시는 이순신 역을 맡지 않겠다고. 묘하게도 이순신의 당시 나이와 최민식의 나이가 53세로 동갑이라는 사실이다. 뭔가 운명적인 만남이라고 불러도 쑥스럽진 않겠다.

〈명량〉의 감독은 김한민이다. 그는 사극으로 이미 연출력을 인정받았다. 전작인 〈최종병기 활〉은 대중성과 작품성 모두를 인정받았다. 그는 난중일기를 기본으로 하여 시나리오를 완성하였다고 한다. 《난중일기》는 말 그대로 임란 중에 쓴 이순신의 일기장이다. 읽어보면 날씨만을 묘사하는 간단한 한 줄부터 '오늘은 어머님의 생신이다. 슬프고 애통함을 어찌 견디랴. 닭이 울 때 일어나 앉으니 눈물만이 흘렀다' 같은 애절한 감정의 표현도 있다.

한국영화 사상 최고의 스펙타클한 해상 전투극 역시 극의 몰입도를 높이는 데 기여했다. 전라도 광양에 실제 세트를 만들어, 매 장면마다 리얼한 영상을 만들어 낼 수 있었다. 실제 제작한 배의 숫자는 8척. 이를 바탕으로 정교한 CG의 기술력을 맘껏 보여준 작품이기도 하다. 조선의 판옥선에서 뿜어져 나오는 화포와 왜군의 조총간의 격돌을 실감 있게 보여주며 시각적 완성도면에서 나무랄 데 없는 전쟁씬을 만들어냈다.

이순신의 인간적인 면을 보여주겠다는 애초의 의도 역시 과연 충족되었는지도 짚어볼 대목이다. 일벌백계의 영으로 부하들을 다스린 반면 부하들과 함께 술 한 잔 기운다든지 바둑을 두면서 토론하는 모습, 지역 백성들과 끊임없는 소통과 자애로운 면을 보여주는 부분은 상당히 생략된 점이 아쉬운 대목이다.

영화적 완성도와는 별개로 실제 역사적 사실과 다소 차이가 나는 점도 발견할 수 있다. 영화의 재미를 위해서인지 모르겠지만 실제 선상에서 백병전을 치열하게 벌이진 않았다는 사실이다. 기본적으로 조선의 판옥선은 일본 수군의 배(세키부네라 부른다)보다 훨씬 단단하게 만들어졌다. 조선 수군의 기본전술은 일단 화포를 쏘아 적을 제압하고 왜 수군의 배에 다가가 부딪쳐 배를 부순 뒤 활로써 적을 제압하는 방식이다. 왜군의 전통적인 전투방식인 사다리를 걸고 일단 성안으로 들어가 적과 백병전을 벌이는 전술을 조선군이 쓸 리가 없다는 것이다. 극의 재미를 위해 썼을 가능성이 높다.

명량은 세계 해전사에 유례를 볼 수 없는 대승리를 거두고 끝나며 이후에 일본의 전투력은 눈에 띄게 약화된다. 당시 조선수군의 배가 12척이냐 13척이냐가 중요하지 않다. 상대의 왜선수가 100여척이냐 300척이냐 역시 정색을 하며 따져볼 문제는 아니다. 자칫 왜군의 페이스에 밀릴 뻔 했던 시기에 명량대첩이 있었다는 게 핵심이다.

사실 임진왜란보다 정유재란의 피해가 조선으로서는 훨씬 컸다. 임란 때는 한양도성까지 논스톱으로 달렸다면 정유재란 때는 온 국토가 초토화되었고 한강 이남까지 치고 올라온 왜군은 왜성을 쌓고 장기전에 대비하기도 하였다(지금도 전라도 순천지방에는 왜성이 남아 있다).

노량에서의 마지막 전투. 이순신은 명나라 장수 진린을 구하는 와중에 적의 유탄을 맞고 숨진다. '나의 죽음을 알리지 말라'는 마지막 유언을 남기며.

전쟁이 끝난 후 선조의 논공행상이 펼쳐진다. 의주까지 함께 피난 간 86명에 대해서는 내시까지 포함하여 공신으로 추대한다. 의병장이나 의병에 대한 공로는 전혀 인정받지 못한다. 의병장 곽재우는 3등 공신조차도 받지 못하며, 칠천량 전투에서 조선수군의 판옥선 대부분을 잃은 원균은 1등 공신으로 책봉된다. 마지못해 이순신도 1등 공신으로 원균과 동급으로 올려진다. 선조는 전쟁이 끝난 후 '상하언재'(무슨 할 말이 있으랴)라 말하면서도 이번 왜란 평정은 중국 명나라 군대의 힘이었다고 얘기한다.

일본은 임란 후 토요토미 히데요시 시대가 가고 도쿠가와 이에야스 막부가 새롭게 들어섰고 명나라도 급격히 세력이 약화되어 망국의 길로 접어들었다.

조선만이 백성들의 통곡소리로 들끓었지만 여전히 허장성세의 사대부만이 다시금 근근히 명맥을 유지하고 있을 뿐이었다. 이때 조선이 망하고 새로운 국가가 건설되었으면 상황은 달라졌을 거라고 애석해 하는 학자들도 있다.

조선시대

〈광해〉

비운의 광해군, 복권을 꿈꾸다

추창민 감독의 영화 〈광해〉는 관객 수 일천만 명을 기록한 영화다. 흥행관객이 천만이면 누가 뭐래도 뭔가 배워야 할 부분이 있는 영화라는 뜻이다.광해군의 역정을 평면적으로 그대로 스크린에 옮겼다면 절대 천만의 지지를 받지 못하였을 것이다, 무엇이 관객천만의 지지를 영화는 이끌어 냈을까?

조선의 역사에서 정식 묘호나 시호를 받지 못한 왕이 두 명 있는데 연산군과 광해군이 그들이다. 광해의 입장에선 다소, 아니 상당히 억울할 수 있다. 연산은 중종반정으로 정권을 뺏기고 강화로 유배를 떠나 얼마 안 돼 죽었고 광해는 제주에서 오랜 세월 유배지에서 나이가 들어 죽는다. 광해는 말년에 몸종에게 조차 영감이란 소릴 들으며 수모를 겪는다. 광해는 역전의 기회를 그 긴 시간동안 노려보고 있었던 것일까? 광해군 역시 인조가 반정을 일으킬만한 극악무도한 군주였을까?

영화 〈광해〉는 사료만을 근거로 하여 광해군의 정치역정을 그대로 옮기지 않는다. 논픽션의 사료에 촌철살인의 스토리를 광해 왕조 역사에 덧붙인다. 바로 우리가 잘 알고 있는 동화《왕자와 거지》의 이야기가 그것이다. 우리는 영화가 시작되고 첫 자막부터 속아 넘어간다. 첫머리의 자막은 이렇다.

'광해군 8년, 역모의 소문이 흉흉하니 임금께서 은밀히 이르다. 닮은자를 구하라 해가 저물면 편전에 머물게 할 것이다'

다음 이어지는 자막은 이렇다.

'숨겨야 할 일은 기록에 남기지 말라 – 광해군 일기'

사실 첫 번째 자막은 허구이고 두 번째는 실제《광해군일기》에 적혀 있는 글이다. 팩트와 허구를 교묘하게 짜깁기하여 이후 영화의 몰입도를 한층 높이는 결과를 만들어 냈다. 대단한 페이크에 당한 셈이다.

광해는 집권기간 내내 서인의 견제와 정적의 독살 위험에 노출돼 있었다. 이에 도승지(류성룡 분)와 입을 맞추고 잠시 지친 몸과 마음을 쉬러 궐 밖의 안가로 나가게 되고 광해와 흡사한 용모의 다소 모자란 듯한 얼뜨기 광대 하선을 왕의 자리에 대신 앉혀 왕의 행세를 하게한다. 여기서부터 영화는 팩트와 픽션의 직조를 흥미롭게 짜내기 시작한다. 역사 사료와 픽션의 동화가 결합한 스토리텔링이 관객의 마음을 사로잡기 시작한 것이다.

한국영화에서 사극 영화는 끊이지 않는 화수분이다. 흥행에 성공한 작품도 있고 그렇지 못한 영화도 있다. 흥행의 여부는 단지 한끗 차이다. 평면적 역사적 스토리에 번뜩이는 아이디어 같은 발명품이 필요한 순간이다. 영화 〈관상〉 역시 세조와 단종의 비극적 이야기만을 풀어 놨다면 사극 드라마와 별반 다르지 않았으리라. 여기에는 천재 관상쟁이가 개입하여 이야기를 맛깔나게 보여준다.

그렇다고 영화 〈광해〉가 광해군의 빛나는 업적에 대해 부러 무시하거나 영화속 이야기에 묻혀 보이지 않거나 슬쩍 넘어가지도 않는다. 오히려 정공법으로 보여주는 사극 중 하나다. 광해군 시절에 경기도에서 최초로 시행됐던 대동법의 역사적 장면을 어린 시종과의 대화를 통해 감동적으로 전해준다.

영화 〈광해〉에서 가짜 광해군이 어린 시종에게 묻는다.

"너는 어찌하여 이곳까지 오게 되었느냐?"

어린 여자시종은 눈물을 뚝뚝 흘리며 대답한다.

"본디 소인의 아버님은 산골의 농사꾼 이었습니다. 헌데 관아에서 세금을 전복으로 바치라하여..."

"아니 산골의 농부가 어찌하여 전복을..."

"하여 큰 빚을 지게 되고 그 빚이 더 큰 빚을 지게 되어 어미와 가족은 뿔뿔이 흩어졌고 아버지는 곤장의 후유증으로 그만 돌아가시게 되었습니다."

"아니 이런 개 좆같은..."

이 장면에서 관객이 웃음을 터뜨린다. 우린 그 흔한 사극을 많이 봐왔지만 왕이 용상을 입고 이런 육두문자를 날린 걸 본적이 없다. 뭔가 가슴 후련해지며 왕의 권위에 대한 파괴에 카타르시스를 느낄 수 있는 장면이다. 광해에 대한 인간미가 진하게 느껴지는 장면이기도 하다.

다음날 어전회의장. 가짜 광해군은 여느 때의 어수룩한 표정과는 다르게 지엄한 어투로 내외신료들에게 즉시 대동법을 실시할 방안을 말하라 이른다. 대신 중 한 명이 결수대로 세금을 받는다면 지주들의 피해가 크다고 난색을 표하자 광해는 단호하게 이른다. '땅 열마지기를 가지고 있는 사람에게 열섬을 바치라고 하고 땅 한마지기를 소유하는 자에게는 쌀 한 섬을 내라고 하는 게 어찌 부당하다고 하느냐'며 호통친다. 마치 진짜 왕이 그런 것처럼. 가짜 왕인 줄 알고 있는 옆에 있던 도승지가 눈을 동그랗게 뜨며 쳐다본다. '아마도 저 놈이 저거 실성했나' 하는 표정이다.

여기서 한국사 시험의 단골주제인 '대동법'을 잠깐 정리해 보자.

조선시대의 수취체제, 즉 세금을 걷는 방법은 세 가지가 있었다. 조세, 공납, 역이 그것인데 공납이 백성들에게 상당히 부담스럽고 힘든 세금이었다. 여자시종이 눈물을 흘리며 말했듯이, 각 지역의 특산물을 바쳐야 하는 공납은 종종 지역적 상황과 맞지 않는 부과가 비일비재 있었다. 이런 백성들의 고초를 이용하여 중간상인과 관료가 짜고 대신 공납을 받쳐 주면서 엄청난 고율을 백성들로 하여금 거두어 들였다. 이런 문제를 해소코자 바로 대동법이 시행되었는데 특산물 대신에 주로 쌀로 바치게 하고, 토지 소유의 다소에 따라 바치는 세금을 연동시키는 합리적인 수취체제라 할 수 있다. 광해군 때 경기도에서 처음 시행하다가 백년이 지나 숙종 때 이르러서야 비로소 전국에 시행되게 된다. 왜 백년이란 세월이 걸렸을까? 바로 지주와 양반의 거센 반발이 계속 되었기 때문이다.

가짜 광해군은 부패한 현감을 당장 잡아들여 꾸짖고는 엄한 체벌을 내린다. 그러면서 나 잘했지 하는 표정으로 내시를 쳐다본다. 광해군의 역을 맡은 이병헌은 부끄러운 듯 겸연쩍은 표정을 능청스럽게 짓는다. 요소요소에 이런 골계미 있는 장면을 배치하면서 자칫 지루해지기 쉬운 광해의 업적을 재미있게 영화 속에 녹여낸다. 결국 영화 〈광해〉는 한 평범한 광대도 훤히 알 수 있는 정치적 올바름이 왜 현실에서는 그렇게 왜곡되고 좌절되는지를 보여주며 또한 리더의 강한 의지만이 기득권의 벽들을 부술 수 있다는 것을 동시에 증명해 낸다.

광해는 선조와 후궁 공빈 김씨 사이에 둘째로 태어났다. 태평성대였다면 왕까지 넘볼 수 있는 족보는 분명 아니다. 임진왜란이 그를 왕위에까지 앉게 만들었던 것이다. 선조는 공빈 김씨가 죽고 나서 얻은 인빈 김씨에게서 신성군을 얻게 되고 신성군을 염두에 두고 세자 책봉을 계속 미룬다. 임진란 때 신성군이 죽고 나서야 광해에게 어쩔 수 없이 세자의 역할을 맡게 한다. 선조는 명나라로 망명할 요량으로 분조, 즉 조정을 둘로 쪼게 광해에게 분조를 맡긴다. 광해는 전장을 누비며 백성들과 함께 고생한다. 이런 과정에서 백성의 신망을 얻게 되고 장차 왕으로서 갖춰야 할 여러 덕목들을 배우게 된다.

전쟁이 끝나자 선조는 중국 명나라의 허가를 받지 못했다는 핑계를 대어 정식 세자 책봉을 미루던 중 나이차가 무려 30년 가까이 난 왕후를 맞이하게 되는데 이가 바로 인목왕후다. 인목왕후에게서 영창대군을 낳게 되어 광해로써는 상당히 신경 쓸 수밖에 없는 상황이 펼쳐진다.

다행인지 불행인지 선조가 갑작스럽게 죽게 되고, 천신만고 끝에 광해는 조선의 19대 임금으로 즉위한다. 광해군 즉위 이후 1년여가 지나 중국으로부터 공식적으로 인정받게 된 광해군은 안정기에 접어든다. 창덕궁을 복원하고 나름의 탕평인사를 꾀하며 내훈, 삼강행실도 등을 인쇄해 보급하기도 한다. 명의 허준의《동의보감》도 이때 편찬하게 된다.

선조 때 이르러 사림들의 세상이 되고 사림은 바야흐로 동인과 서인으로 나뉘어 붕당의 정치 정국이 형성된다. 동인은 다시 북인과 남인으로 쪼게 지는데 바로 북인과 광해가 손을 잡고 광해군정권을 운영하게 된다. 광해가 왕위에 오른 후, 영화처럼 항상 자객의 위험에 시달려야 했을까? 사료에 뚜렷하게 남아있는 자료는 없으나 아마도 정적인 서인세력과 남인에 의해 상당한 스트레스를 받았을 것이다. 광해군은 서인과 남인세력이 결탁한 인조반정으로 인해 왕위에서 쫓겨나게 된다. 이때 서인의 명분은 두 가지였다. 첫째는 폐모살제. 유교적 윤리관에서 도저히 수용할 수 없는 패륜을 저질렀다는 거다. 인목대비의 폐위와 배다른 동생 영창대군을 죽인 것을 이르는 말이다. 드라마 화정에서도 영창대군이 관군에게 끌려 유배 가는 모습이 그려진다. 실록을 보면 영창대군의 주살을 광해군이 직접 지시하지는 않는다.

조선시대는 신하들의 부패와 축첩은 왕에게 용서 받을 수 있지만 역모는 털끝하나 용서 되지 않는 시대가 아닌가? 삼대 멸족은 바로 이를 두고 하는 말이다. 따라서 광해 역시 잠재적 역모의 주모자가 될 수 있는 영창대군의 존재가 항상 뒤통수를 불편하게 했는지 모른다. 신하들의 영창대군을 폐위하라는 상소 요구에 광해는 침묵을 통해 미필적 고의로 동의한 건지 그래서 속으론 회심의 미소를 지었는지 그 누가 알겠는가?

어쨌든 영창대군은 폐서인 되어 강화도 교동이라는 곳에 위리안치 된다. 먹을 것을 넣어주지 않고 굶기다가 아궁이에 군불을 때서 뜨거워서 바닥에 누워있을 수도 없게 된 영창대군은 결국 창살을 붙들고 어머니를 부르며 죽고 만다. 이 소식을 들은 광해는 이렇게 말했다 한다. '내 덕이 없어 영창이 병으로 죽게 하니 비통하기 그지없구나. 대군의 예로 장례를 치르도록 하라.' 과연 광해의 진짜 속마음은 무엇이었을까?

이제 타깃은 영창대군의 생모인 인목대비에게 돌아간다. 그러나 조선은 유교국가다. 생모가 비록 아니더라도 대비마마인 인목대비를 명분 없이 사사시켰다는 오명을 광해는 절대 듣고 싶지 않았을 터. 다만 북인과 유생들의 대비에 대한 폐위 주장은 끊임없이 주상에게 상소 되었다. 결국 자의반 타의반 영창대군의 생모는 폐서인 되고 만다. 그러나 이런 이유가 과연 인조반정의 명분이 되었을까? 조선

500년 역사에서 배다른 형제와 계모의 사사는 드문 일이 아니었다. 아마도 서인들이 반정으로 정권을 잡은 후 정치적 명분을 찾다보니 폐모살제의 패륜아로 광해를 덧 씌워 버렸을 것으로 추정된다.

두 번째 반정의 명분은 아이러니컬하게도 바로 광해의 가장 큰 업적인 중립외교에 대한 비판이다. 서인세력은 재조지은(임진왜란 때 입게 된 명나라의 은혜)을 저버린 광해를 마치 아버지를 해한 패륜아로 규정한다. 그러나 광해는 임진란 중에 직접 전장을 지휘하면서 백성들의 숱한 고초와 아픔, 그리고 고통을 직접 목도한 왕이 아닌가. 전쟁이 일어나면 백성들이 가장 큰 피해자라는 걸 피부로 사무치게 체감한 왕이다. 그래서 그는 실리 외교정책을 강하게 밀어 붙였다. 당시 중국의 상황은 어떠했나. 임란 후 명나라는 급속히 약화되고 후금이 성장하고 있었다. 1616년 누르하치는 마침내 후금을 건국하고 명나라에게 선전포고를 하게 된다. 명나라는 급히 조선에 파병을 요청한다. 허나 광해는 섣부르게 움직일 수 없었다. 여러 상황들을 고려할 수밖에 없었다. 당연히 명나라에 파병할 줄 알았던 대신들은 당황한다. 명분과 의리를 앞세우는 성리학의 입장에선 도저히 상상 할 수 없는 일이 벌어진 것이다. 광해의 머릿속에는 단 하나의 생각만이 있었다. 이런 전쟁에 조선군이 가서 개죽음을 당하는 일이 없도록 하는 것이었다.

영화에선 이런 광해군의 답답하고 외로운 심정을 가짜 광해군의 입을 통해 보여주는 장면이 나온다. 비상 어전회의가 열리고 있다. 물론 가짜왕 행세를 하고 있는 광해가 용상에 앉아있다. 대신 한명이 아뢴다. '병사 2만 명을 차출토록 허락해주십시오.' 명나라의 파병 요청을 받아들이라는 얘기다. 듣고 있던 다른 대신이 군사를 파병하면 우리의 북방경비가 어려워짐을 걱정하자 노발대발하는 서인과 남인의 대신들이다. "이 나라가 다 이렇게 살아가는 게 누구의 덕입니까? 명이 있어야 조선이 있는 법이거늘, 비록 오랑캐와 싸워 죽더라도 황제의 은혜에 보답해야 합니다"라며 더 이상의 언급을 막아버린다. 명나라 태후 태황에게 바칠 공물 내역을 언급하자 이때까지 그대로 듣고만 있던 가짜 광해가 버럭 소리친다. "적당히들 하시오 이 나라가 누구 나라요? 이러다 오랑캐에 짓밟혀도 상관없다는 말이요? 부끄러운 줄 아시오!"

광해는 이어 "대신 뜻대로 하겠으나 나는 금에게 사신을 보내겠소."하며 '금과는 싸움을 원치 않는다. 조선의 군사를 무사히 돌려보내길 소원한다' 라고 서찰을 써서 보내도록 어명한다. 서인을 비롯한 대신들은 광해의 서슬에 일단은 잠잠해진다.

사실 조선의 사대는 초기와 후기가 상당히 다른 면이 있다. 초기는 큰 나라와 충돌을 막기 위해 다시 말해 생존을 위해 사대하였다. 그러나 성리학이 형식에 얽매여 고착화 되면서 중국에 대한 사대는 재조지은 이라는 명분하에 아버지의 나라, 형제의 나라처럼 떠받들게 되어 의리와 명분만을 쫓게 된다. 영화 속의 가짜 광해는 이렇게 일갈하며 어전회의를 끝낸다.

"나는 비록 빼앗고, 훔칠지언정 내 군사들은 살려야겠소. 내나라

내 백성이 열 갑절, 백 갑절 소중하오."

아마도 이 대사 하나로 관객 동원 삼백만 명은 더 영화관을 찾지 않았을까? 왜냐하면 사람들은 현실에서 볼 수 없는 혹은 꼭 봤으면 하는 모습을 영화에서나마 찾고 위안 받기 원할 테니까 말이다.

광해군 역시 공도 있지만 과도 있다. 무리한 궁궐 증축으로 백성들의 원성이 높았고 지나친 옥사 등을 통해 많은 죄 없는 선비들이 죽어 나갔다. 그러나 영화속 광해는 현실과 다르게 묘사된다. 광해의 처남이 역모혐의로 붙잡아 국문을 당하고 있었다. 광해는 친히 죄인 앞에 나아가 묻는다.

"그대는 내 처남인데 어찌 역모를 꾸민게요. 대답해보시오?"

이에 답하길 " 신은 전란 중에도 백성을 살피신 어지신 대군을 기억하고 있나이다. 허나 지금의 전하는 그때의 전하가 아니옵니다. 단지 폭군일 뿐입니다."

"그래서 반역을 꾀했소? 그래 군사는 모았소?"

"천부당만부당 한 얘깁니다. 단지 소인은 왕께서 귀를 열고 들으시라, 들으시라 소리쳤습니다. 죽여주시옵소서."

광해는 당장 이 죄인을 풀어주라 명한다. 옆에서 듣고 있던 대신들이 반발하자 "병판, 그대 머릿속이 이자보다 깨끗하다 자신하시오? 그리 자신있게 말할 수 있는 자 한번 나와 보시오!"

광해군 집권 후반기에 들어서면서 광해의 인기는 예전만 못했다. 이를 시정코자 충신들의 간언이 있었지만 진짜 광해는 그리 여유롭게 이런 상황을 즐길 입장이 못되었다. 그러나 가짜 왕 하선은 어떤 정략적 견해나 세력에도 자유로웠다. 마치 예수가 죄 없는 자 이 여인에게 돌을 던지라 하는 것과 같은 논법으로 대신을 꼼짝 못하게 한 것이다.

광해를 끌어내릴 기회를 엿보던 서인세력은 드디어 능양군(후에 인조가 된다)을 내세워 인조반정을 일으켜 광해군을 몰아낸다. 광해는 전혀 역모의 눈치를 채지 못했을까? 사극에 자주 등장하는 김개시라는 상궁이 있었다. 광해는 이쁘진 않지만 그녀의 영특함에 반해 가까이 하였다. 역모 고변이 여러 번 있었지만 그녀는 광해의 판단을 흐리게 하였다. 추측이지만 김개시와 역모를 꾀하던 세력과의 내통이 있지 않았을까 한다.

드라마 화정에선 실제로 김개시와 능양군(인조)의 심상치 않는 남녀관계가 그려지기도 했다. 결국 광해군은 겨우 기백명의 반란군에 맥없이 무너지고 만다. 인조가 등극한 것이다. 왕의 즉위식 때 김개시는 목이 잘렸고 북인정권의 수장인 이이첨은 아들들과 함께 효수된다. 광해군과 부인 박 씨는 교동에 따로 안치된다. 폐세자 된 아들과 부인은 목을 매어 자진한다. 아들 소식에 충격을 받은 폐비 유씨 역시 오래 살지 못한다. 광해군은 마지막 유배지인 제주에서 향년 67세로 눈을 감는다. 유배지에서 영감이라 불리던 모멸감을 견디며 한 번의 기회가 오겠지 하는 맘으로 기다려 봤지만 광해의 운명은 거기까지였다.

조선시대

〈최종병기 활〉

병자호란의 위대한 신궁

1,700만 명 관객동원을 이루어 낸 〈명량〉을 만들었던 김한민 감독의 직전 작품이다. 최종병기 활은 병자호란을 배경으로 하고 있다.

그러나 대규모 전쟁씬과 치열한 전투장면으로 영화의 흐름을 잡아 나가지 않는다. 조선과 청나라의 국가적 충돌을 정면으로 응시하지 않으며 거대한 시대 담론으로 이야기를 확대하기 보다는 전쟁으로 위협받는 개개인의 생사문제에 눈을 돌린다. 자신의 목숨을 스스로 지켜내지 않으면 안되었던 국가적 난국을 헤쳐 나가고자 나서는 민초들의 이야기다. 국가나 정부가 자신을 보호해주지 못하면 개인이나 국민은 직접 스스로를 보호하지 않으면 안 되며 그런 상황은 백성들을 참으로 고달프고 피말리게 한다는 사실은 예나 지금이나 다르지 않는 듯 하다.

임진란의 상처와 여파가 채 수습되기도 전에 조선은 다시 전란의 회오리에 휩싸인다. 조선의 역사에 왕을 내쫓고 반정과 쿠데타로 왕권을 잡은 사람은 세 명이 있다. 단종을 내쫓은 세조, 연산을 몰아낸 중종 그리고 광해를 쿠데타로 몰아낸 인조가 그들이다. 어찌 보면 인조반정이 가장 명분이 약한 반정인지 모른다. 반정이란 잘못된 것을 바로 잡는다는 의미다. 광해군은 반정으로 쫓겨날 정도의 패악군주였단 말인가? 폐모살제와 명나라에 대한 의리 불충을 명분으로 서인세력은 인조를 옹립한다. 선조의 정식 계비인 인목대비를 유폐하였다는 죄와 이복동생인 영창대군을 죽였다는 것인데 조선 역사에서 왕권을 위협하는 혈족은 어김없이 사사 된 건 그리 흔하지 않는 일이었다. 또한 재조지은(임란 때 명나라에게 받은 은덕)을 배신한 광해에 대한 심판이라지만 지금의 역사적 시각으론 광해의 중립외교는 생존을 위한 탁월한 실속외교 아니던가? 결국 광해군에 대한 폄하는 반정을 일으키기 위한 명분 쌓기였단 얘기다. 인조(능양군)는 준비된 쿠데타의 주인공이었다.

성공한 쿠데타는 처벌하지 못한다는 한국현대사 법정에서 명시된 논리의 근거는 이미 조선때 완성되었는지도 모른다. 인조와 서인세력은 오랜 기간 광해군과 척을 두면서 서인세력과 반 광해군파를 규합했고 한순간 번개처럼 쿠데타를 성공시켜 버린다. 서인세력의 주모자는 신경진, 구굉 등의 인조의 외척세력과 이귀, 이서, 김류, 장유, 김자점 등 그동안 소외받고 살았던 서인 문신집단이 그들이다. 겨우 반란세력 천여 명에 광해군의 군대는 너무나 무력했다. 경호를 책임져야 할 훈련대장은 이미 반군과 내통하여 성문을 활짝 열고 기다리고 있었다.

광해군은 말년에 총기를 잃고 만다. 역모의 고변을 보고 받았고 몇 차례 분위기를 감지했으나 설마 했던 것이다. 궁궐에 불길이 일자 광해는 '드디어 내대에 종묘사직이 끝나는 구나'하며 저항할 힘을 일찌감치 포기해버린다. 그리곤 바로 북문 담을 넘어 도망치다가 붙잡힌다. 인조의 반정무리들은 정권의 정통성을 확보하기 위해 대비를 찾아간다. 바로 인목대비다. 인목대비는 드디어 아들 영창대군의 복수를 할 수 있다는 생각에 분기탱천한다. 가장 먼저 광해를 자기 손으로 직접 손봐야겠다고 하면서 옥새를 기다리는 반정세력의 애를 태운다. 결국 대비의 윤허가 떨어지고 반정세력은 정통성을 대내외적으로 인정받는다. 그러나 백성들의 시각에선 그리 호의적이지 않았다. 어차피 바뀌어봐야 우리네 백성들은 변할게 없다는거다. 《인조실록》에는 백성들의 당시 여론을 알 수 있는 문구가 이렇게 씌여 있다.

> 아 훈신들이여/잘난척 하지마라/그들의 집에 살고/그들의 토지를 차지하고/그들의 말을 타며
> 또다시 그들의 일을 행하니/당신들과 그들이/돌아 보견대 무엇이 다른가

광해군 정권을 무너뜨린 인조정권은 숭명배금으로 외교정책을 변경한다. 인조반정 이후 권력의 추는 북인에서 서인과 남인의 연립정권으로 확실히 기운다. 인조는 집권 후 하루도 편할 날이 없다. 집권한 지 얼마 안 돼 이괄의 난을 겪게 되어 피난길에 올랐지만 인조를 별로 달가워하지 않았던 민심은 인조가 타고 건너야 할 배를 숨겨 놓기도 했다. 이괄의 난이 겨우 진압되자 이어서 후금이 3만의 군

사를 이끌고 조선에 쳐들어온다. 정묘호란이다. 강화도로 급히 피난 간 조선 정부는 후금과 맹약을 맺고 후금과 형제국임을 표방하는 화약을 맺고 확전을 피한다. 화친이 이루어졌지만 후금 군사들은 인근 마을을 습격해 상당수의 조선 사람을 포로로 끌고 갔다. 그리고 칸의 이름으로 국서를 보내 도망친 조선포로가 있다면 바로 조사해 다시 보낼 것을 명한다. 조선인을 조선이 다시 잡아 보내라는 억지였다. 이들을 합법적으로 다시 데려오는 길은 노예시장 같은 곳에서 돈을 치르는 방법이었으나 끼니도 못 잇는 조선 백성들이 비싼 몸값을 치르기는 역부족이었다. 조선의 사신이 청나라로 가면 길가에 조선인들이 나와 자신을 살려달라는 통곡을 하였다 한다. 정묘호란 이후 조선조정은 이후의 변란에 대한 대비를 철저히 했어야 했다. 후금의 누루하치가 죽고 홍타이지가 왕위에 올라 이름을 청이라 바꾸고 조선에 대규모의 병사를 이끌고 재침한다. 병자년 오랑캐의 난, 병자호란이다.

영화 〈최종병기 활〉은 이런 시대적 상황에서 시작한다. 광해군과 함께 정치를 했던 남이(박해일 분)의 아버지는 인조반정 이후 역적으로 몰린다. 남이와 여동생 자인(문채원분)은 개성에서 벼슬을 하고 있는 아버지 친구 김주선에게 몰래 찾아가 몸을 의탁한다.

남이는 김주선에게 이렇게 말한다. "아비가 이 말을 전해 달라고 했습니다. 외교를 모르는 자들이 임금을 옹립하니 반드시 전쟁이 일어날 것이다. 사직과 백성의 안위가 바람 앞의 촛불이다. 활은 아이가 클 때 까지 부탁한다." 이미 남이의 아버지는 서인의 무모한 외교 정책으로 후금(청)의 외침이 있을 것을 예견한 것이다.

남이와 동생 자인은 그렇게 그 집에서 숨도 크게 쉬지 못하고 자라난다. 남이는 아비가 준 활로 답답한 세월을 위안한다. 화살의 시위를 당길 때 아비의 가름침이 귓전을 때린다. '태산처럼 바쳐 쥐고 호랑이 꼬리처럼 말아 쏘거라.' 어느새 남이는 명궁사로 성장하게 된다.

인조반정 후 13년의 세월이 흘렀다. 자인은 김주선과 결혼을 하게 된다. 남이는 역적의 자식이기에 폐를 끼치기 싫어 혼인을 극력 반대하나 결국 두 사람의 결심으로 성사된다. 그러나 혼례식을 치르던 날 청나라의 정예부대가 마을을 습격하여 식장은 아수라장으로 변하고 만다. 결국 청나라 포로로 새신랑인 서군과 자인이 끌려가고 남이는 아버지가 준 활과 화살만을 가지고 홀홀단신 동생을 구하기 위해 떠난다. 청나라로 끌려가는 수많은 백성들 틈에 자인도 있었다. 신궁의 솜씨로 청나라 부대 중심 깊숙이 들어간 남이. 청나라 왕자 도르곤을 지키기 위해 남이를 추격하는 청나라 장수 쥬신타. 쥬신타는 조선의 활과 화살을 이렇게 표현한다. "짧고 가날퍼 보이지만 사거리와 기동력이 높다." 쥬신타는 번번히 그를 놓치고 자존심에 상처받은 그는 집요하게 남이를 쫓는다. 영화의 중반부터는 남이와 쥬신타 간의 싸움이 이 영화의 기본줄거리의 동력이 된다. 역사적 사건의 격량에 두 사람의 이야기가 흔들리지 않고 영화는 곧장 둘만의 피 말리는 추격과 비장한 전투를 보여준다. TV 드라마에선 볼 수 없는 액션 스펙타클과 함께 조선신궁과 청나라 장수의 싸움은 그간 드라마나 영화에서 볼 수 없었던 신선한 소재이기도 하다.

청나라가 재침해오자(병자호란)변란에 준비되지 않는 인조정권은 엿새 만에 한성을 함락 당한다. 또다시 피란길에 오른 인조는 본래 가고자 한 강화도에 닿기도 전에 청나라 군대가 이미 가까이 와 있다는 걸 알고 부득불 남한산성으로 방향을 급하게 튼다. 남한산성을 겹겹이 에워싼 청나라의 13만 대군. 산성안에서도 최명길을 중심으로 한 주화론과 김상헌을 중심으로 한 척화론의 갑론을박이 벌어진다. 현실을 무시한 척화론 자들은 여전히 이런 상황에서도 명분과 의리만을 앞세워 성 밖의 백성들이 청나라 군대에 짓밟히고 있는 현실을 애써 외면한다. 척화론자들 역시 나라를 위한다는 마음이야 같았겠지만 이는 현실을 외면한 무모한 억지였다. 항복문서가 완성되자 김상헌은 국서를 갈기갈기 찢어버린다. 최명길은 찢어진 문서를 다시 붙이면서 "대감의 나라를 위한 충성을 모르는 건 아닙니다. 나 역시 나라와 백성의 안전을 위해서 이러는 것입니다"라고 말한다.

결국 조선사에 가장 치욕적이고 부끄러운 일이 벌어진다. 삼전도의 굴욕이 그것이다. 겨울바람이 세차게 불던 1월 30일. 인조는 남한산성 아래 삼전도로 내려가 삼배구 고두례(세 번 절하고 아홉 번 소리 나게 이마를 땅에 찧는다)의 치욕을 맛본다. 옆에 있던 대신과 세자들이 통곡을 하며 운다. 인조는 반정이 성공했을 당시의 벅찬 순간에 후일 삼전도에서 겪게 되는 수치스러운 일들이 그를 기다리고 있었다는 걸 미리 알았다면 반정에 앞장섰을까? 단상 위 청나라 태종은 엷게 미소 짓는다. 청태종은 조선의 항복을 영원히 기억하라는 뜻에서 비석을 세우는데 이것이 삼전도 비석이다. 삼전도 비석은 여러 차례 수난을 당한다. 해방 후 부끄러운 역사라 하여 땅속에 매몰해 버렸다가 1963년 홍수로 비석이 다시 모습을 드러낸다. 정부는 역사를 반성하자는 의미로 석촌동으로 옮겨 세웠으나 송파대로가 확장되면서 지금의 장소로 옮겨왔다. 현재 비석의 자리는 정말 생각지 않는 곳에 자리 잡고 있다. 잠실 롯데월드가 시작하는 석촌호수 옆길로 들어가면 후미진 터가 있다. 그곳에 삼전도 기념비가 있다. 옆에 기둥을 받치기 위해 만든 거북모양의 단 하나가 더 있는데 청나라가 너무 작게 만들었다고 해서 옆에 크게 다시 만들었다는 설명이 씌어져 있다.

병자호란으로 항복선언을 한 조선은 무려 50만 명이나 청나라의 인질로 끌려간다. 실제 인질 중의 대부분은 여인들이었다. 조선 여자는 청나라에서 상당히 인기가 있었고 몸값이 높았다. 박지원의《박씨전》을 보면 이런 구절이 나온다. "오랑캐 장수들이 장안의 재물과 부인들을 잡아갈 새, 잡혀가는 부인네들이 박씨를 향하여 울며, 슬프다 우리는 이제 가면 생사를 모를지라. 언제 고국산천을 다시 볼까? 하며 대성통곡했다." 이렇게 끌고 간 인질을 청나라는 후에 인간시장을 열어 공개적인 인질 장사를 하였다. 돈이 없는 백성들은 가족이 눈앞에 있음에도 구할 수 없었던 비통한 역사가 숨겨져 있다.

이 인질의 무리에 남이(박해일)의 여동생 자인도 있었다. 남이는 목숨을 걸고 여동생을 구한다. 이를 쫓는 쥬신타와의 마지막 대결. 대한민국 양궁이 왜 강한지는 이 영화를 보면 어느 정도 이해할 수 있다. 옛날부터 우리 조상에게 가장 유력한 무기는 활이었다. 단궁이라 하여 작은 활과 화살은 당나라 태종의 눈 하나를 앗아갔고 임란 때 판옥선과 거북선의 승전 뒤에는 수군들의 활 솜씨가 한몫 하고 있었다. 쥬신타에게 활을 겨눈 남이. 쥬신타는 바람이 거세게 불자 '바람마저 니 편이 아니구나' 라고 한다. 그러나 쥬신타의 예상과 달리 남이가 쏜 화살은 쥬신타의 목을 꿰뚫고 간다. '바람은 계산하는 것이 아니라 극복하는 것이다'그리고 '두려움은 직시하여야 한다. 두려움은 직시하면 그뿐이다'며 아버지가 자주 얘기했던 말을 되씹는다.

병자호란을 겪고 난 인조는 청나라에 인질로 끌려갔다 돌아온 소현세자를 마뜩찮게 생각한다. 인조는 혹시라도 청나라가 왕권을 소현에게 물려주면 어떡하나 하는 불안감을 갖고 있었다. 스물여섯 살의 나이에 청나라로 끌려간 소현세자는 9년 만에 고향으로 돌아온다. 그러나 소현세자는 청나라에서 돌아온 지 두 달 만에 죽고 만다. 그의 시신을 본 사람이 알리길, 소현세자의 온몸이 검은 빛이었고, 몸의 아홉 구멍에선 피가 흘러 나왔다고 한다. 공식 사인은 학질이었으나 조선왕조사에 기록된 많은 독살설 중에 가장 신빙성이 높은 소현세자의 갑작스런 죽음이다.《인조실록》을 보자.

"소현세자의 졸곡제를 행하였다. 전날 세자가 심양에 있을 때 집을 지어 단확을 발라 단장하고 , 또 포로로 잡혀간 사람들을 모집하여 땅을 경작해서 곡식을 쌓아 두고는 그것으로 진기한 물품과 무역을 하느라 관소의 문이 마치 시장과 같았으므로, 왕(인조)이 그 사실을 듣고 불만스러워 하였다...(중략) 세자는 본국으로 돌아온 지 얼마 안되어 병을 얻었고 병이 난 지 수일 만에 죽었는데 ,온 몸이 전부 검은 빛이었고 이목구비의 일곱 구멍에서는 모두 붉은 피가 나오므로 검은천으로 그 얼굴 반쪽만 덮어 놓았으나, 곁에 있는 사람도 그 얼굴 빛을 분별할 수 없어서 마치 약물에 중독되어 죽은 사람과 같았다."

소현세자의 간소한 장례식만을 치르고 나서 바로 봉림대군에게 세자를 책봉한다. 소현세자는 청나라에 머물면서 청나라 실세들과 교류한다. 봉림대군과는 다르게 호기심이 많았던 소현은 청나라의 많은 과학 문물을 가지고 들어왔고 청나라의 뜻을 읽고 조정의 정책에 반영코자 하는 행동을 보였다. 인조로선 불안하기만 했다. 안그래도 정통성의 희박함으로 전전긍긍했던 인조였고 청에서도 여전히 인조에 대한 평가가 좋지 않았던 시기였다. 이런 이유로 인조가 자신의 아들 소현세자를 독살하지 않았을까 하는 호사가들의 이야기가 나오는 까닭이다. 소현이 막상 오랜 인질생활을 끝내고 귀국했을 때 조정의 분위기는 냉랭하기만 하였다. 장성한 소현세자가 이제 차기 국왕후보로 확실히 되었고 소현세자가 왕이 되면 인조와 서인정권은 자신들이 일관되게 주장했던 숭명반청의 이념이 하루아침에 무너질 것을 두려워 했다. 여전히 서인정권은 청을 오랑캐로 보는 시각이 농후 하였다. 소현세자가 의문의 죽음을 당한 후 왕통은 봉림대군에게 넘어간다. 봉림대군은 소현과는 전혀 다른 생각을 품고 있었다. 봉림은 효종으로 등극하고 청나라를 정벌하자는 북벌론을 내세운다. 그러나 현실 불가능한 정치적 수사였을 뿐이다. 송시열과 함께 추진했던 북벌 주장은 그야말로 구호로만 끝나게 된다. 북벌은커녕 오히려 청군의 군사 요청으로 조선 군사를 파병까지 해주니 말이다.

전쟁 후 상흔은 권력자들에게만 남아 있지 않았다. 전시 후 돌아온 조선의 여성들은 또 다른 비애와 억울함에 자결해야만 했다. 지금 우리가 쓰고 있는 화냥년이란 말의 어원은 본래 '환향녀' 즉 고향으로 돌아온 여자를 뜻한다. 여인의 정절을 목숨보다 중히 여기던 조선시대에는 남의 나라 땅에 끌려가 돌아온 여자를 이미 더럽혀진 여자로 취급하였다. 심지어 사대부들은 가문의 명예를 위해 스스로 목숨을 끊을 것을 요구하기도 했다. 참으로 어이없는 일이 벌어진 것이다. 당시 양반과 권력자들의 위선과 허위의식을 단적으로 보여준 실례라 할수 있다.

인조실록에는 이렇게 적고 있다.

"비록 본심은 아니었다고 하더라도 변을 만나 죽지 않았으니 절의를 잃지 않았다고 할 수 있겠는가."

더 이상 말이 나오지 않는 대목이다. 가문과 사회로부터 버림받은 여인들이 마지막에 택할 수 있는 방법은 '자결' 말고는 없었다. 당시에 여인네들의 자살이 문제시되자 최명길의 진언으로 이곳에서 몸을 씻으면 다시 회절한 것으로 받아들이는 웃지 못할 일까지 생긴다. 한양과 경기지역은 홍제천이 지정되었다. 그러나 이곳에서 회절한다고 해도 다시 가족의 품으로 돌아 갈 수는 없었다. 결국 몸을 팔거나 구걸을 하다 대부분 일찍 죽고 만다. 전쟁으로 인한 우리 여성의 수난사요 억울한 희생의 아픔이다.

압록강을 넘기 직전의 조선 백성들은 도망갈 수도 없다. 다시 고향으로 돌아가면 죄인이 된다고 조선의 임금은 그리 말했다. 포로가 된 백성들이 도망가거나 하면 다시 붙잡아 청나라 군대에 넘겨야 하는 게 당시 조선의 임금과 군사들이 할 일이었다. 두 나라의 약조였다. 남이는 '나라도 백성도 버린 그 임금은 이미 큰 죄인이오' 라며 활의 시위를 청나라 군사들에게 당긴다.

조선시대

조선왕조,
비극의 가족사

영화 〈사도〉에서 사도세자가 도저히 회복되지 못할 절망감을 느꼈을 것 같은 장면. 영조(송강호분)가 역모 음모의 억울함을 눈물로 호소하던 사도세자에게 이렇게 말한다. “너의 존재 자체가 역모다.” 사도(유아인 분)는 더 이상 대꾸할 말도 반항할 힘도 잃는다.

조선사 오백년 역사에서 가장 비극적인 가족사를 들라하면 , 아버지가 아들을, 임금이 세자를 뒤주 속에서 갇혀 죽인 사도세자의 이야기일 것이다. 〈사도〉는 희대의 비극적 왕조 스캔들을 스크린으로 담아낸 영화이다. 그간 한국사를 소재로 꾸준히 영화를 찍어냈고, 만든 영화마다 소기의 성취물을 만들었던 이준익 감독표 사극영화라 더욱 더 관심을 받았던 작품이다. 역시나 기대를 저버리지 않고 작품과 흥행 면 둘 다 성공적인 평가를 받았다. 누구나 잘 아는 이야기지만 누구도 자신 있게 내막을 얘기하기 어려웠던 ‘조선 세자의 뒤주에서 죽음’을 영화는 어떻게 풀어 놨을까? 그리고 과연 이 사건의 실체는 무엇이며 진실은 어떤 걸까? 그리고 영화는 무엇을 담아냈을까?

조선왕조 오백년 역사에서 상대적으로 태평성대를 구가했던 영조의 시대. '조선의 르네상스 '의 시작점이었고 영조의 무난한 통치와 탕평책을 통한 붕당의 폐해가 잦아들기 시작한 시대이기도 했다.

영조는 천민 무수리의 아들이다. 이런 사실이 영조를 평생 콤플렉스에 시달리게 한다. 영조의 아버지는 숙종이다. 그 유명한 장희빈과의 로맨스로 왕실을 들었다 놨다 한 인물이다. 장희빈의 아들 경종이 갑작스럽게 일찍 죽는 바람에 영조가 왕위에 오르게 된다. 즉위 후 효장세자를 먼저 얻으나 열 살에 그만 잃는다. 영조 나이 마흔한 살에 본 늦둥이가 바로 사도세자다. 영조는 너무 기쁜 나머지 아이가 태어나자마자 세자로 책봉한다. 그러나 이는 사도가 성장하는 데 해악을 미친다. 일단 세자 책봉이 되면 동궁 전으로 옮겨지게 되는데 이때는 부모, 특히 생모와 함께 생활할 수 없게 된다. 그리곤 바로 제왕학을 배우게 되는 것이다. 한참 어미젖을 빨고 잘 때 사도는 혼자 엄지손가락을 물고 자야 했다.

'오늘 하루만이라도 세자와 함께 잘 수 없을까?'하는 생모 인빈 김씨의 호소를 상궁은 일언지하에 거절하는 장면이 영화에 나온다. 엄마의 정을 모르고 자란 사도는 정에 굶주린, 관심과 사랑에 갈구하는 인간으로 성장하게 되고 이런 이유가 나중에 정신병을 유발하였는지 모른다. 영조는 호학군주였다. 자신의 신분이 천한 무수리의 자식이라는 사실과, 형 경종의 급작스런 죽음이후 노론에 의해 왕위에 올려졌다는 정통성의 허약함, 경종의 독살에 영조가 연루 되었다는 음해설 등이 영조의 집권기간 내내 그를 괴롭혔고 동시에 그를 매사에 자기관리가 철저한 왕으로 만들어갔다.

후에 영조는 결백을 주장하기 위해 '천의소감'이란 글을 쓰기도 한다. 내용은 '내가 경종임금에게 생감과 간장게장을 올리지 않았다'는 내용이다.(경종은 시름시름 앓다가 간장게장을 먹고 며칠 후 죽는다) 얼마나 형 경종의 독살설에 괴로워했으면 임금이 친히 이런 글로 해명했을까 싶다. 또한 노론의 지지로 왕에 오른 영조는 정치적 부채가 노론에게 있었다. 그래서 더욱더 신하들에게 몸가짐 하나 허투루 할 수 없었다. 책잡히지 않으려는 극도의 자기 절제술이 몸에 밴 왕이었다. 이런 영조가 보기에 사도세자는 항상 맘에 차지 않았다. 영조의 성정은 꼼꼼하고 날카로웠고 기분에 따라 변덕도 심하였다고 전해진다. 불같은 성격에 눈물도 많아 툭하면 눈물을 흘려 대신들의 분위기를 다잡기도 했다.

사도의 어린 시절은 총명했다고 한다. 사도가 거처하던 동궁전에는 과거 경종을 모시던 내인들이 사도를 보필하게 하였다. 이는 영조가 경조의 독살설에 결백하다는 것을 경종의 나인들이 영조의 아들 사도를 모시게 함으로써 면책 받고자 했던 것 같다. 사도는 성장할수록 책보다는 무술과 잡기에 흥미를 가졌다. 이런 사도를 영조는 마뜩잖게 생각하였고 날이 갈수록 호통과 질책은 더 늘어만 갔다. 결정적으로 사도와 영조의 관계에 파열음이 나기 시작한 시기는 영조의 대리청정 시기였다.

영조는 여느 조선의 왕처럼 선위파동을 통해 권력의 충성도를 저울질하기도 했고 왕권을 오히려 강화하는데 이용하였다. 정치적 퍼

포먼스라는 걸 잘 아는 내신들이지만 선위를 거둬달라는 상소로 날밤을 새야만 했다. 결국 대리청정으로 의견이 마무리되어 사도를 직접 지도 하게 된다. 헌데 대리청정 시기에 사도는 영조로 인해 홧병을 얻게 된다. 영화 〈사도〉에서 '너 자격 없어 가' '니가 왕이야?'라며 무심한 듯 질책하는 영조의 연기는 보는 관객들에게도 가슴 답답하게 만들었다. 툭하면 아들 세자에게 이런 어투로 힐난한다. 사도세자의 입장에서 미치고 환장할 일이다. 이러면 이런다고 화내고 저러면 저런다고 질책하니 어느 장단에 춤을 춰야 한단 말인가. 이런 일이 있고 나선 사도는 옷을 잘 입지 못하는 의대증에 걸리게 되고 홧병과 우울증이 심해져 급기야는 사람도 해하고 만다.

사도세자가 뒤주 참사의 변을 겪게 된 '임호화변'의 원인에 대해 설도 많고 말도 많다. 영화 사도에서는 아버지와 아들의 관계로 희대의 사건을 해석해 보고자 한다, 어찌 보면 가장 설득력 있는 이유 일 수 있다. 모든 것을 정치적 음모로 세상사를 바라보기 좋아하는 사람들에게는 당쟁의 희생양으로 사도세자가 노론의 정치공작으로 죽었다고 하는 견해가 매력적이겠지만 세상사, 특히 왕실에서 벌어지는 내밀한 일은 정치공학적으로 설명할 수 없는 많은 변수가 있다. 영조는 종묘사직을 지키고 영민한 후계자로 정권을 넘겨주는 게 자신의 절대적 임무였을 것이다. 해서 사도세자로는 도저히 왕위를 넘겨주기 어렵다는 판단을 했고 똘똘하고 영민한 정조에게 왕권을 넘겨주기 위해, 즉 사도가 죽어서 어쩔 수 없이 왕권을 정조에게 넘겨준 것이 아니라 정조의 시대를 열어주기 위해 아버지 사도가 희생되었다는 게 어쩌면 이시대의 전체적인 그림을 보건데 가장 진실의 실체에 가까운 게 아닐까? 영조는 이런 결심을 일찍부터 했던 것 같고 이런 결정을 확실하게 했던 일이 벌어진다.

그 일의 첫째는 사도세자의 생모 영빈이씨의 고언이다. 세자가 정신병이 깊어져 사람을 해친다는 말을 듣고 세자의 생모 역시 결심을 한듯하다. 영조에게 세자를 자진시킬 것을 조심스럽게 아뢴다. 《한중록》에 따르면 영빈이씨는 영조를 찾아가 울면서 아뢴다.

"세자의 병이 점점 깊어 바라는 것이 없사옵니다. 어미된 정리로 차마 드리지 못할 말씀이오나 성궁을 보호하고 세손을 건져 종사를 편안히 하는 일이 옳으니 대처분을 하시옵소서. 하지만 부자간의 정으로 차마 이러하시지만 다 세자의 병이옵니다. 어찌 병을 책망하겠나이까? 처분은 하시되 은혜를 끼쳐 세손 모자를 편안하게 하시옵소서."

영화에서도 같은 장면이 나온다. 영조 또한 영빈이씨에게 '내편은 당신밖에 없구려'라고 답한다.

둘째, 아직도 명확한 사건의 실체적 진실은 드러나지 않고 있는 나경언의 고변이다. 나경언이란 사람이 세자가 역모를 꾸민다는 서찰을 왕에게 투서한다, 친히 국문을 진행하던 영조에게 나경언은 품에서 또 다른 서찰을 건네준다. 여기에는 사도세자의 비행과 일탈이 비교적 상세히 적혀있다. 기생을 불러 음주가무를 하는가 하면 비구니 등을 불러 퇴폐적 비행을 일삼았다는 것이긴 하나 어디에도 역모를 꾸몄다는 물증은 없다. 아마도 노론이 꾸민 일이 아닐까 추측하지만 이때 굳이 노론이 이런 무리수를 두었을까 하는 주장도 설득력이 있다. 당시 영조는 나이가 벌써 여느 조선왕들보다 많이 들어 내일 승하를 하더라도 이상하지 않았고 이대로만 간다면 사도세자가 왕위에 오를 텐데 굳이 자충수를 둘리는 만무하기 때문이다. 현재의 권력보다 미래의 권력에 관심이 가는 게 세상의 이치이다.

셋째, 정순왕후의 이간질을 들 수 있으나 정순왕후가 입궐할 당시에 벌써 사도와 영조간의 간극은 벌어질 대로 벌어진 상태였고 정순왕후가 '노론의 국모'일지언정 세자의 장인인 홍봉한의 세력과는 당시 견줄 바가 못 되었다. 결국 영조의 판단이 핵심일 것 같다. 종묘사직의 안녕과 영민한 후계자에게 왕권을 넘겨줘야 한다는 강박이 바로 임오화변의 진실에 가장 가까운 답으로 보인다. 영화 사도의 마지막 장면에서 소지섭이 분한 정조가 왕위에 올라 비로소 사도세자 아버지 묘소에 참배를 가게 된다. 궁에서 쫓겨났던 혜경궁 홍씨도 신원이 복위되고 함께 아들과 남편의 묘소를 찾는다. 정조는 아버지 묘소에 물을 따른다. 앉지도 그렇다고 설수도 없는 뒤주 안에서 얼마나 공포스럽고 힘들었을까? 중앙선데이에 연재되고 있는 [김상득의 칼럼]을 보면 사도세자의 한 서린 넋두리를 잘 표현하였다.

아버지 왜 하필이면 뒤주인가요? 형벌은 반드시 죄목과 연동되니까,

목을 베거나 사지를 찢거나 사약을 내리면 그것이 역모죄의 형벌이니까, 저의 역모죄를 피해야 제 아들에게 '역적의 자식'이라는 낙인이 찍히는걸 막을 수 있으니까 , 어느 법전에도 없는 형벌로 죽이려 한다는 말씀은 하지마세요. 그렇다면 관에 가둬 죽여도 되잖아요. 이게 뭐에요. 앉지도 눕지도 못하고 이 거구의 몸을 비좁은 뒤주 속에 어떻게 넣어요. 못 먹는 건 참는다 쳐요. 똥오줌은 어떻게 해요.? 일국의 왕자인데 아들과 아내가 있는 가장인데,....(김상득의 행복어 사전 중에서 발췌)

뒤주 안에는 손톱으로 긁었던 자국들이 남아 있다고 한다. 얼마나 목이 말랐을까 싶은 마음에 정조는 물 한 사발을 묘지에 뿌리며 오열한다. '제가 태어나지 않았다면 우리 아버지 돌아가시지 않았을텐데…'한다. 정조 역시 무엇이 당시의 일이 진실이었는지 알고 있었던 것이다.

그러나 정작 마지막 중요한 질문이 남아있다. 하필 왜 뒤주인가? 그냥 자결을 명하고 말리는 대신들을 막도록 지시했다면 사도는 그 자리에서 자결 했을 것이다. 여기서 두 가지 경우를 생각해 볼 수 있다. 단지 영조는 사도를 혼내기 위해 충격요법을 썼다. 즉 뒤주 안에 가둬 반성토록 했으나 당시 정신병을 앓고 있던 사도는 폐쇄공포증으로 호흡곤란을 겪고 뒤주안 짧은 시간에 숨을 거둬 버린다.(사도는 영화의 유아인과 다르게 상당히 비만이었다고 사료는 전한다.)영조도 예상치 못한 결과였다. 이는 사도가 뒤주에 갇혀 있던 8일 동안 아무런 상소가 없었다는 점이다. 아무리 사도의 정적인 노론벽파라 하더라도 후일 역사를 의식해 세자구명 상소라도 한 장 올려야 맞는 이치다.

최근 자료로 공개된 영조의 '사도세자묘지문'을 보면 영조는 단지 혼을 내기 위해 가두었는데 갑자기 세자가 죽었다며, 애통해 하는 마음을 밝히고 있다. 물론 실록과는 정반대의 내용이다.

또 다른 경우의 수는 바로 세자의 역모 소식을 들은 영조가 선제적으로 사도를 공격하여 뒤주 속에 가둬 죽여 버렸다는 것이다. 영조의 권위와 왕권에 도전하는 자는 누구라도(설혹, 세자라 하더라도)이렇게 처참한 죽음을 당한다는 사실을 본보기로 보여 줄려 했다는 것이다. 허나 이런 가설은 역모를 꾸민 세자가 죽자마자 시호와 복위를 명한 것을 보면 설득력이 떨어진다.

영화 〈사도〉는 작금 쏟아져 나오는 사극영화가 보여주는 지나친 확대해석이나 픽션의 수위를 자제한다. 그래서 더욱 미덕이 큰 영화다. 또한 플래쉬백을 적절히 사용하여 극의 긴장감을 높였다. 이준익 감독의 전작들 〈평양성〉 〈황산벌〉 〈왕의 남자〉에 비해 극의 리얼리티를 한껏 끌어 올렸으며 역사 교육교재로 쓸 수 있을 정도로 사료에 충실하려는 모습이 보인다. 오히려 사도세자의 사료는 제한적이란 사실을 역으로 잘 이용해낸다. 어느 누구도 사건의 실체를 밝힐 수 없기에 상상의 폭이 그만큼 커진 것이다. 영화에서 사료를 세초하는 장면이 나온다. 조선왕조실록과 승정원일기에서 사도세자의 내용을 흐르는 물로 씻어 버린 것이다. 영조는 사도세자의 비극을 역사에서 지우고자 하였다. 허나 같은 시기에 씌여진 다른 자료에서 일부 보여지는 모습들을 추론하고 ,무엇보다 정조의 어머니이며 사도세자의 부인이었던 혜경궁 홍씨의《한중록 일기》를 보면 당시의 상황을 짜맞춰볼 수 있다.《한중록 일기》가 홍씨 가문을 정쟁에서 지켜 내기 위해 당시의 사실을 왜곡했다고 하나 실록 등의 다른 사료와 비교 했을 때 큰 차이가 없게 기술된걸로 봐서 사실과 가깝다 할 수 있다.

사도가 가장 섭섭했던 인물은 아버지 영조도 ,자신을 감싸줄만한 다른 대신도 아닌 혜경궁 홍씨, 즉 자기 부인이 아니었을까? 하는 점이다. 세자를 적극적으로 감싸고 이해해주기 보다는 어쩌면 아들 정조의 안위가 혜경궁 홍씨에게는 당시에 절실한 역할이었는지 모른다. 아들만을 감싸고 도는 부인에게 사도세자는 서운한 감정과 함께 어쩌면 배신감까지 느꼈을지 모른다. 조선왕조실록에 보면 혜경궁은 몸에 종기가 나는 지병이 있었다고 한다. 그러나 혜경궁은 아들 정조 사후에도 15년을 더 살다 81세를 일기로 한 많은 세상을 떠난다.

창경궁 휘령전은 세자가 뒤주에 갇혀 죽어가는 전대미문, 비극의 장소가 된다. 영조는 숙종을 모시는 사당에 가서 '역적을 해 하겠습니다'라고 아뢰며 사도세자를 휘령전 마당으로 호출한다. 그리고 자결을 명한다. 여름날 아침7시부터 시작된 실강이는 저녁 7시까지 계속되다가 느닷없이 영조는 뒤주를 가지고 오라 명하고 뒤주 안에 세자를 가둔다. 8일간의 감금. 여름 한낮의 찌는 듯한 더위와 갈증. 일국의 왕세자가 이렇게 죽어갔다.

영조의 성격은 호불호가 명확했다. 자식 사랑에서도 예외가 아니었다. 특히 딸들에 대한 애정은 차고 넘쳤다. 성질을 부려 영의정을 파직 시켰다가도 며칠 후에 복직시키기도 했다. 고도의 정치술이었다는 말도 있지만 욱하는 성격만은 맞는 것 같다. 사도세자에 대한 기본 입장은 영조의 머릿속에 프레임을 이미 짜 놨다는 말이 옳다. 하루는 영조가 사도에게 묻는다. '한문제와 한무제 중 누굴 더 좋아하느냐?' 세자는 아버지가 좋아 할 대답을 한다. '한문제가 좋습니다' 아버지는 문치주의 정치가다. 누굴 좋아할지는 세자도 잘 알고 있다. 허나 돌아오는 답은 세자를 당황케 한다. '너 누구 앞에서 거짓말을 하는 거냐. 난 네가 무제를 더 좋아한다는 걸 잘 알고 있다. 나라의 임금이 될 사람이 어찌 진실을 얘기하지 않는 게냐?'고 꾸짖는다. 세자는 이후부터 병을 핑계로 진현(임금께 세자가 문안인사를 드림)을 나가지 않는다. 세자의 첫 번째 책무가 임금을 찾아 매일 안색을 살피고 문안인사를 드리는 일인데 이걸 몇 달 동안 거르기도 하지만 영조도 굳이 세자를 찾지 않는다.

이후 영조는 손녀뻘인 열다섯의 중전을 맞아들인다. 이를 보고 영조가 사도세자에게 무언의 압력을 행사 했다고 주장하는 역사학자도 있다. 새로 맞이한 중전에게 만의 하나 후사를 보게 되면 세자의 자리가 위태로워 질 수 있다는 암묵적 메시지라는 것이다. 어쨌든 사도세자는 본인보다 열 살이나 어린 중전에게 알현 인사를 해야 했다. 이 또한 스트레스로 작용했을 것이다.

영조는 조선왕 중에 가장 오랜 51년 7개월간 재위하면서 많은 업적과 치적을 남긴다. 가장 대표적인 게 탕평정치라 할 수 있다. 정조시기에 본격적인 탕평정치 시대가 오지만 그 기반만은 영조가 마련했다고 보는 게 옳다. 당쟁의 온상지였던 서원을 정리하고 백성들이 힘들어 했던 군역에 대한 세금을 균역법을 만들어 상당 부분 완화시켰다. 태종 때 시행했던 신문고를 부활시켜 많은 백성들과 직접 접촉을 늘렸다. 학문저술에도《동국문헌비고》와 경국대전이후 변화된 법률 개정을 위해《속대전》도 편찬하였다.

당시 조정의 분위기는 사도세자의 죽음을 처음에는 '역모로 벌하였다'로 하였으나 나중에는 '광인으로 사사'된 걸로 정리되었다. 역적의 아들에게 왕위를 내어 줄 수는 없었기 때문이다. 영조는 정조에게 이른다. '네 아버지의 죽음은 대의였다. 왕위에 오르더라도 어떠한 시도도 하지마라.' 훗날의 시끄러워질 사태를 미연에 방지코자 하였으나 역사는 영조의 생각대로 흘러가진 않았다.

조선시대

〈역린〉

사도세자 아들,
화성에서 꿈꾸다

역린이란 거꾸로 난 용의 비늘이란 뜻으로, 상대방의 건드려선 안 될 치명적인 약점을 말하며 왕의 노여움을 이른다. 영화 〈역린〉은 조선후기 정조시대를 다루고 있다. 정조시대 역시 다양한 장르에서 소재로 선취된 매력적인 콘텐츠이다. 영조와 정조시대는 조선의 마지막 불꽃같은 전성기였다. 조선의 르네상스로도 불리며 법전과 문화, 건축 등의 다양한 분야에서 성취를 이루어낸다. 그러나 그와 함께 정조가 과연 개혁군주로 불릴 만하느냐에 대해 이의를 제기하며 과연 영조, 정조 시기가 르네상스 시대로 불릴만한 시대였는지 묻는 측도 있다. 분명한 건 온전한 조선왕조의 마지막 군주인건 확실하다.

정조의 독살설은 아직도 미스테리로 남아있다. 영화 역린은 미국드라마 〈24〉처럼 하룻동안에 벌어진 왕의 암살에 관한 이야기로 전개된다. 정조즉위 1년. 1777년 7월 28일에 벌어진 '정유역변'을 소재로 하고 있다. 정유역변은 정조가 평상시처럼 자신의 침전인 존현각에서 책을 읽다가 지붕위에서 이상한 소리가 들려 홍국영을 시켜 조사를 해보니 수상한 자객이 왕의 깊숙한 침전까지 들어온 사건을 후일 조사하여 연루된 사람을 잡아 체벌한 사건을 말한다. 여기에 역린의 작가는 흥미를 느껴 이 사건을 모티프로 하여 영화 〈역린〉을 만들어 냈다. 정순왕후와 혜경궁 홍씨, 홍국영 등의 실존 인물을 배치하고 여기에 살수, 광백 등의 허구의 인물을 들여 극의 완성도와 흥미를 높였다. 당시 정조는 정치적으로 여러 시련에 놓여 있었다. 정조는 사도세자의 아들로 태어나 세손으로 책봉된 지 얼마 안 돼 뒤주속에 갇혀 죽은 아버지를 지켜봐야만 했다. 스물다섯 살의 나이에 왕위에 오른 정조는 자신을 견제하는 서인 노론세력과 정치적 대립을 빚어 왔고, 영조가 뒤늦게 재가하여 왕후에 오른 정순왕후의 견제는 정조를 하루도 편안하게 보내지 못하게 한다.

오죽 했으면 영화 첫 자막이 "두렵고 불안하여 차라리 살고 싶지 않았다"라고 적혀 있을까. 또한 영조의 그늘이 너무 컸다. 두 번째 자막에는 "세손(정조)은 노론과 소론을 알 필요가 없고 이조와 병조를 알 필요가 없고 나랏일에 이르러서는 더더욱 알 필요가 없습니다"-노론 벽파 홍인한 1777년 11월20일. 이는 정조에 대한 노론 벽파의 정조에 대한 노골적인 고립화를 보여주는 것이다.

그러나 정조의 뛰어난 정치적 조율 능력은 이런 위기감에 더욱 빛을 발한다. 영화에서처럼 존현각에서 매일 푸쉬업을 하면서 몸을 단련했는지는 확인되지 않지만 고도의 자기 절제력과 인내력으로 고통스러운 현실을 타개하려고 노력하였으며 끊임없이 자기연마를 게을리 하지 않았던 왕으로 기록되어 있다. 정조는 왕위에 오르자마자 첫마디가 '과인은 사도세자의 아들이다'였다. 이에 대신들은 연산군 때의 트라우마에 시달린다. 사도세자의 엽기적 비명횡사에 책임이 자유로운 대신들은 없었다. 그러나 정조는 피의 복수극을 벌이지 않는다. 오히려 탕평을 얘기하고 무능한 대신들을 질타하며 조선의 꿈, 화성의 비전을 가지고 조선왕조의 발전을 도모한다. 노론과 소론, 그리고 남인의 당쟁 속에서 자신만의 색깔을 가지고 카리스마와 강단으로 정조식 탕평 정치를 펴 나간다.

영화에서 노론 대신들과의 경연 장면이 나온다. 영화에서 다루기에는 자칫 지루한 장면이기 쉽지만 오히려 정조와 대신들 간의 설전으로 인해 팽팽한 긴장감이 스크린을 압도한다.

노론대신이 정조에게 간한다. "요즘 규장각에는 어린 문신들만 있다고 하여 걱정입니다. 무릇 좋은 말만 듣는 건 제왕의 도리가 아닌 줄 아룁니다." 정조의 개혁정치 중 하나인 초계문신제에 대한 우회적 비판이었다. 초계문신제에는 젊은 관리들을 재교육하고 노론에 대응하는 젊은 피를 수혈코자 하는 정조의 의도가 있었다. 당시 서얼출신이라 관직에 등용하지 못한 인재들을 정조는 홍문관등 언론삼사 기관에 파격적으로 등용하였다.

정조가 답한다. "앎이 통찰이 되고 통찰이 실천이 돼야 학문의 완성이요, 실천이 되는 학문이어야 한다." 대신은 때가 이때다 싶어, "그러려면 (더)배워야 합니다."

정조는 밀리지 않는다. "대신들은 사서오경만 고집하고 있는데 그 기본은 얼마나 알고 있소? 중용의 스물세 번 째 장을 아는 사람은 한번 말해보시오." 눈치를 보는 대신 중 아무도 선뜻 나서지 못한다. 정조는 내시 상책에게 한번 얘기해보라 이른다.

상책은 "작은 일도 무시하지 않고 최선을 다해야 한다. 작은 일도 최선을 다하면 정성스럽게 된다. 정성스럽게 되면 겉에 베어나고 겉으로 드러나고 겉으로 드러나면 밝아지고 밝아지면 남을 감동시키고 감동시키면 이내 변하고 변하면 생육된다. 그러니 세상에 오직 지극히 정성을 다하는 사람만이 나와 세상을 변하게 하는 것이다" 경연장은 일순 조용해진다. 겨우 얼어붙은 침묵을 깨며 한 대신이 서얼의 경연 참여에 시비를 걸지만 정조는 그저 "그대들의 답은 빈하다"고 마무리 한다. 정조는 세상을 변하게 하고 싶은 열정을 갖고 있었으리라.

정조는 우리에게 일반적으로 개혁군주로 알려져 있다. 즉위 초반부터 서얼 등용을 통한 신분제도의 개혁과 금난전권의 폐지로 자유로운 상거래 시대를 열었다. 본인 역시 호학군주의 전통을 이어받아 학문연마와 문치주의를 지향한 왕이었다. 군사제도를 개혁하여 장용영이라는 친위부대를 창설하여 유사시에 왕권을 보위코자 하였다. 당시 어영청, 금위영 등 군사기구는 모두 노론벽파의 영향력에 있었다. 자신을 위한 호위부대가 필요했기에 장용영을 만든 것이다. 또한 정조는 사도세자 왕릉인 현륭원 참배를 열두 번이나 하였다. 그리고 수시로 100회 이상이나 도성 밖으로 나와 백성들의 얘기를 직접 듣기도 하였다. 그리고 남한산성에서 인조가 겪었던 치욕을 잊지 않았던 정조는 수원에 화성을 축조한다. 수원 화성은 보기만 해도 단단한 느낌이었고 외침에 몇 년은 거뜬히 견딜 수 있는 구조를 갖고 있었다. 그러나 화성 신도시 건설이 지극히 정조 자신만을 위한 정치적 행위였다고 보는 견해도 있다. 즉 아버지 사도세자를 위해, 자신의 왕권 강화를 위해 화성 신도시 건설을 추진했다는 의견이다.

수원에 가기 위해선 배로 만든 다리로 부교를 설치해야 해서 60척의 배가 동원돼야 했다. 이런 행차에는 다목적 정치적 포석이 깔려 있었다. 바로 정조의 정치적 반대파였던 노론 벽파에 대한 견제였다. 노론은 정조대에 이루러 시파와 벽파로 나뉘게 되는데 정조를 지지하는 측이 시파이고 정조에게 사사건건 정치적 태클을 거는 쪽이 노론 벽파라고 쉽게 정리해본다. 노론 벽파는 사도세자를 죽음으로 몬 당파였다. 이 행차를 통해 사도세자의 죽음을 상기 시키면서 노론벽파를 위축시켰다. 또 하나는 왕의 행차 시 '격쟁'이나 '상언'제도가 있어 억울한 사연을 직접 왕에게 고하는 제도가 있었다. 실제로 행차 중에 왕이 직접 민원을 해결해 주기도 했다.

정약용과의 인연도 빠뜨릴 수 없다. 정약용을 등용하여 실학의 발전을 꾀하였다. 또한 정조대에 겸재 정선의 진경산수화와 연암 박지원의 소설 등의 패관문학이 융성하였고 다양한 서민문화의 발전 등 조선후기 중흥기의 절정을 구가하였다는 측면에서 문화의 르네상스라 부르기에 무리함이 없다고 주장하기도 한다.

영화 〈역린〉은 드라마 연출을 주로 했던 다모의 연출가 이재규 감독이 맡았다. 정조가 주로 집무를 보았던 존현각은 규장각의 전신이랄 수 있는 왕실의 서재로 본래 경희궁 안에 위치했었으나 현재는 소실되어 〈역린〉만을 위해 따로 담양에 세트를 지었다. 사료에는 검소한 정조의 평소 생활이 반영돼 존현각을 단청이나 제대없이 소박하게 만들었다고 기록되어 있다. 영화에서도 정조가 홀로 공부하고 운동하던 공간으로 잘 배치하였고 수많은 위협으로부터 자신을 보호하기 위해 고독한 자신의 방어벽을 폈던 정조의 외로움이 느껴지는 공간이기도 하다. 존현각을 찾은 혜경궁 홍씨는 이렇게 말했다. "저곳이 왕의 침전입니까? 민가의 종복들 행랑채도 여기보단 낫겠어요."라고.

의상에서도 〈역린〉은 리얼리티를 강조했다. 붉은색 곤룡포를 영화 내내 정조는 단 한 번도 입지 않는다. 영조가 승하하고 정조가 즉위한 지 1년밖에 지나지 않았기 때문이다. 정조의 흉배에는 용이 수놓아 있는데 제목처럼 역린이 건드려진 성난 용의 모습을 띄고 있다.

역린에서 인상적인 장면인 정순왕후(한지민 역)의 존재감이다. 예순여섯 살에 영조는 새장가를 가게 되는데 새 왕비는 겨우 열다섯 살이었다. 새 왕비가 바로 정조 사후 조선을 쥐락펴락했던 정순왕후다. 정조 앞에서도 태연히 발톱손질을 받을 정도로 위세가 있었던 정조 최고의 정적이기도 하였다. 왕 보다도 어린 할마마마 정순왕후가 정조의 손을 잡고 그에게 굴욕적인 언사를 주는 장면은 서로 화해할 수 없는 대립의 정점을 보여준다. 정순왕후는 노골적으로 홍국영의 전횡을 따지며 홍국영이 노론벽파를 제거하는 과정에서 자신의 오라비 역시 희생당하였다고 노골적으로 정조에게 불만을 터뜨린다. 그러면서 만의하나 주상전하에게 변고가 있으면 자신이 어려워진다고 우회적으로 얘기하면서 정조를 겁박한다.

또한 정조 하면 당시 최대의 정적인 노론의 중심 심환지를 들 수 있는데 최근에 발견된 사료를 보면 꼭 그렇지만은 않았다는 게 밝혀져 흥미롭다. 당시 정조의 친필 편지가 공개된 것이 그것인데, 흥미로운 내용은 이 서찰을 주고받은 인물이 심환지이다. 심환지는 정조와 첨예하게 대립하던 인물로 정조 독살설의 유력한 배후로 지목받던 인물이었다. 헌데 서찰을 보면 정조는 여러 국정현안을 심환지에게 지시했고 심환지는 이런 뜻을 잘 따랐던 것으로 밝혀졌다. "내일 어전회의에서 내가 이리 말할 테니 심대감은 이렇게 대꾸 해주시오. 그리고 저렇게 결론을 맺은 걸로 합시다"라고 기록되어 있다. 심하게 얘기하면 짜고 치는 고스톱이었다는 얘기다. 정조의 노회한 정치력을 볼 수 있고 정적인 노론까지도 장악했다고 보이는 증거이기도 하다.

영화에 등장하는 실존인물을 살펴보면, 먼저 구선복을 들 수 있다. 구선복은 노론파의 대표적 무장이었다. "지금 구선복을 건드리면 오군영이 다 일어선다"고 정조는 영화에서 말한다. 그는 사도세자를 죽이는데 가담한 눈엣가시 같은 존재였으나 정조는 구선복이 군사반란을 꾀할까봐 두려워 그에게 높은 관직을 주어 따로 관리한다. 영화에선 구선복이 정변을 일으키려 군사를 모아 대기하는 곳에 정조가 찾아가 일대 결단을 낸다. "나를 벨 텐가? 아니면 나의 검이 되겠는가?" 결국 구선복은 여기서 포기하고 만다. 실제 역사에서는 정조 후대에 이르러 역모사건에 휘말려 아들, 조카와 함께 처형당한다.

정조의 오른팔로 나오는 홍국영. 그는 정조의 어머니인 혜경궁홍씨와 정조의 정적인 정순왕후와 친척지간 이었던 배경을 가지고 있는 사내다. 정조시대는 정조와 홍국영이 만들었다는 말이 있을 정도로 권세가 대단했다. 기록으로는 야망이 커 정조의 견제를 받았고 비극적인 죽음을 맞이했다. 혜경궁 홍씨는 아들 정조를 지키기 위해 결사적이다.《한중록》의 저자이기도 한 혜경궁 홍씨. 그녀는 조선조 가장 불행했던 여인이라 할 수 있다. 영화 속 그녀의 위치와 처절함이 묻어나는 대사는 이 한마디로 족하다. "지아비를 제물로 바치고 살린 아들이다. 아느냐?"

영화 〈역린〉은 정조의 암살기도가 치밀하게 기획된 걸로 묘사된다. 어린시절 정조의 내관으로 들어온 상책과 그의 의형제인 살수. 청부살인업자 막주는 살수에게 왕의 암살을 명한다. 이를 듣지 않은 살수는 막주가 내민 제안을 거절 하지 못하는데 그 이유는 살수에겐 숨겨 놓은 정인이 있다. 그녀와 멀리 도망갈 수 있게 해주겠다는 말에 결국 살수는 정조 암살의 선봉에 선다. 영화 후반부터는 정조와 정순왕후의 한판 대결 이야기로 펼쳐진다. 정순왕후의 '엎어라'라는 말에 역모를 일으키지만 이내 정조에게 제압되고 암살 기도도 실패로 끝나고 만다. 영화 역린은 다소 산만한 캐릭터의 구성과 일관된 이야기의 핵심이 부족해 흥행에는 큰 재미를 보지 못한다. 그러나 현빈이 보여준 정조의 이미지는 쉽게 잊혀지지 않는 무게감으로 존재한다.

정조는 재위 24년만인 1800년, 마흔 아홉이란 한창 나이에 죽는다. 여러 음모설이 제기 됐지만 결국 끊임없는 정치적 스트레스와 과로가 겹쳐 죽었다는 게 중론이다. "두통이 많이 있을 때 등 쪽에서도 열기가 많이 올라오니 이는 다 가슴의 화기 때문이다" 실록에서는 숙종부터 대대로 이어진 화증, 즉 화병이 정조를 죽게 한 걸로 결론 내린다.

정조가 죽은 후 12세로 즉위한 순조를 대리청정한 정순왕후 김씨의 집안인 안동김씨 세도가로 권력이 이동하면서 조선은 망국의 길로 접어 들어간다. 정순왕후 대비는 정조의 흔적들을 하나하나 지워 나간다. 먼저 천주교에 대한 입장의 변화이다. 정조는 정학이 바로서면 사학이랄 수 있는 천주교는 자연스럽게 없어진다고 생각했다. 따라서 서학에 대한 통제가 그리 심하지 않았고 주로 남인에 의해 학문으로 받아들여진다. 그러나 정순왕후 대비는 천주교를 사학으로 규정짓고 신유박해의 명령자가 된다. 또한 그녀는 노론의 대모답게 탕평을 전면적으로 부정하기 시작했다. 규장각은 유명무실 됐으며 장용영도 혁파된다. 그렇게 정조의 기억들은 세도정치에 의해 지워진다.

정조가 현재의 우리들에게 꼭 들려주고 싶은 말이 있는 것 같다. 그래서 몇 번이나 강조하여 영화에서도 이른다. '무엇이든 네가 원하는 것이 있다면 정성을 다하라. 그리하면 이루어진다.'라고.

조선시대

〈불꽃처럼 나비처럼〉

나는
조선의 국모다

역사를 소재로 영화나 드라마를 기획할 때, 소재꺼리가 가장 많은 시대가 근현대사 부분일 것이다. 우리에게 아픈 역사이며 비통한 사건들로 점철되어 있지만 그럴수록 더 많은 스토리가 숨어있는 법. 특히 구한말 명성황후의 시해사건은 그 자체가 민족과 시대의 비극을 담고 있고 워낙 드라마틱한 사건 전개 덕분에 뮤지컬, 드라마, 영화의 단골 소재가 되곤 한다. 조선의 국모가 일본 낭인들의 손에 무참히 살해되는 비극적 상황에 왕비의 처연한 멜로라인까지 덧붙여 만든 영화가 바로 〈불꽃처럼 나비처럼〉 이다.

영화 개봉 시 광고카피를 그대로 옮겨보면, '불꽃처럼 화려하고 나비처럼 여렸던 여인, 명성황후 민자영과 불꽃처럼 뜨겁고 나비처럼 순수했던 그녀의 호위무사, 무명의 가슴시린 사랑!' 이라고 적혀있다. 동서고금에 걸쳐 호위무사와 여왕과의 사랑 얘기는 소설이나 영화에서 많이 다루어진 스토리다. 그러나 열강의 침탈 속에 바람 앞의 촛불로 놓인 구한말 조선에서 왕후의 야망과 사랑은 비슷한 다른 사랑 얘기와는 차별화 포인트가 된다. 영화는 명성황후와 시아버지 대원군과의 갈등을 영화 전반부에 배치한다. 민씨 집안의 한 평범했던 여인이 험난한 역사의 중심에 턱하고 던져진 것이다.

그동안 영화나 드라마에서 비운의 왕비로만 그려졌던 명성황후의 모습이 이 영화에서는 살아 숨 쉬는 캐릭터로 변화한다. 처음 맛본 와인과 초콜릿에 신기해하기도 하고 서양에서 들여온 여성속옷인 코르셋을 살펴보다가 직접 입어보는 모습에선 여느 20대 호기심 많은 여자로 변모하기도 한다.

뮤지컬로 제작되어 뉴욕 브로드웨이에서 호평을 받기도 했던 '명성황후'가 실제로 존재했던 호위무사 홍계륜과의 아슬아슬한 로맨스를 모티브로 하고 있다면 영화 역시 야설록의 원작소설을 기반으로 하여 탄탄한 스토리를 보여준다. 요즘 각광받는 팩션무비(픽션과 논픽션이 교묘히 배합된)의 전형이라 할 수 있다.

영화의 시작은 고종과의 혼례를 하루 앞둔 자영이 심란해하며 바닷가를 거니는 것으로 시작한다. 그곳에서 밤에는 자객으로 낮에는 뱃사공으로 살아가는 무명과 우연히 만난다. 무명은 자영을 보고 한눈에 반하나 범접하기 어려운 사람이라는 걸 알고는 낙담한다.

단한번의 만남으로 다음날 왕비에 오를 운명인 민자영을 사랑하게 된 무명. 신분의 벽을 넘지 못하는 무명의 사랑은 결국 목숨을 건 용기로 궁궐 호위무사 시험에 합격하게 만든다. 무명은 단지 그녀를 옆에서 지켜줄 수 있게 된 것만으로 만족하며 행복해 한다. 먼발치에서 그녀를 볼 수 있다는 안도와 그녀의 숨소리를 가깝게 들을 수 있다는 사실이 갈급한 그의 사랑에 대한 허기를 달래준다. 영화는 무명의 사랑과 함께 조선의 비극적 역사라는 두 가지 결말을 향해 달려간다.

일본의 낭인들의 손에 처참하게 죽은 조선의 국모 명성황후. 대체 그때 우리의 역사는 어떻게 흘러가고 있었던 것일까?

조선왕조가 점차 파국으로 치닫던 19세기. 대왕대비 신정왕후 조씨는 순조, 헌종, 철종 3대에 걸쳐 수렴청정을 하고 있었다. 철종이 후사 없이 세상을 뜨자 흥선군 이하응과 협의하여 대원군의 둘째로 보위를 잇게 한다. 풍양조씨의 세도가였던 신정왕후는 당시 세도가의 라이벌 가문이었던 안동김씨를 견제하기 위해 대원군의 둘째를 철종의 양자로 입적하여 왕위를 잇게 한 노회한 수를 보여준 것이다. 둘째가 바로 고종이다. 당시 어린 고종을 대신하여 대원군이 섭정한다. 대원군은 누구인가? 안동김씨의 세도가 하늘을 찌를 때 대원군은 파락호 흉내를 내며 세월을 낚고 있었고, 본인의 야심을 숨기고 때를 기다리며 암중모색 중이었다. 자칫하여 세도가들에 의해 정치적 거세를 당하지 않으려는 계산이었다. 대원군은 신분이 낮은 이들과 어울리거나 세도가를 찾아 돈을 꾸기도 했으며 상갓집에서 먹는 걸 구걸하기도 하여 '상갓집의 개'라 불리는 수모를 겪기도 하였다. 그러니 그 맘속의 시커먼 야심을 누가 알고 있었겠는가? 이런 대원군이 드디어 날개를 달게 된다. 1862년부터 시작한 대원군의 대리청정은 그 후 십년간 1872년까지 이어진다. 대원군은 외척들의 폐해를 너무나 잘 알고 있기에 고종의 처, 즉 자신의 며느리를 선택하는데 신중에 신중을 거듭한다. 그래서 고른 사람이 바로 민자영,민비다. 이 역시 그리 좋은 선택이 아니었음을 조만간 깨닫게 된다.

십년동안 실질적인 권력자인 대원군의 개혁정치가 펼쳐진다. 대원군이 집권하면서 제일 먼저 한 일은 안동김씨 등의 세도가를 정리하는 것부터 시작한다. 그러나 피를 부르는 숙청 대신 세도가문 스스로 신변정리를 할 수 있게 퇴로를 열어주는 방식을 택한다. 조용하면서도 강단 있게 안동김씨, 풍양조씨 등 세력가들을 몰아냈고 이들 세도가문들 역시 오히려 목숨을 부지하는 것만으로 대원군에게 감사해 할 정도였다. 또한 왕권을 강화한다. 당시 최고 권력기관인 비변사를 혁파하고 의정부와 6조를 제자리로 돌려놓는다. 백성들이 좋아할 만한 정책도 내놓는다. 바로 군정과 관련한 조치로 양민에게만 부과했던 호포를 양반에게도 부과하는 호포법이 실시된다. 이와 함께 삼정의 문란 중에서 가장 백성을 괴롭혔던 환곡제를 민간 스스로 운영하는 사창제로 바꾸면서 백성들로부터 칭송을 받았다. 만동묘의 폐지와 탈세의 온상이었던 서원의 철폐로 양반들의 원성이 있었지만 과감하고 거침없는 개혁 드라이브를 펼쳐간다. 대원군은 잡초무성한 경복궁을 보면서 마치 쇠락한 조선왕조를 보는듯하여 마음이 아팠다. 경복궁 중건을 통해 왕실의 위엄을 만백성에게 보여주고자 했다. 그러나 부족한 재정을 메우기 위해 원납전등을 징수하였고 급기야는 화폐가치를 무시하고 일당백의 가치가 있는, 즉 상평통보 100전의 가치가 있는 당백전을 무제한 찍어 내어 화폐가치의 하락이라는 부작용을 낳기도 했다. 대원군의 인기는 요즘 여론조사식으로 얘기하면 양반들에게는 지지율이 낮았고 백성에게는 등락을 거듭했다.

때는 서세동점의 시대, 열강의 식민지 쟁탈 각축전이 치열하게 벌어진다. 조선은 늑대 같은 제국주의 국가들에게 둘러싸인 한 마리 양이 될 처지에 놓이게 된다. 대원군의 기본적 대외정책은 쇄국정책이다. 대원군하면 지금은 쇄국의 아이콘이 돼 버렸지만 문을 걸어 잠그는 대외정책은 조선조의 오랜 전통이었다. 대원군은 거기에 따랐을 뿐이다. 초기에는 대원군 나름의 대외정책을 구상하기도 하였다. 조선의 국경과 맞닿게 된 러시아의 남하를 걱정하여 프랑스와 손잡고 방비코자 하였으나 어찌된 일인지 프랑스에선 답이 없었다. 이에 대한 반사작용 이었는지 대원군은 천주교에 대한 무자비한 박해가 시작된다. 대원군의 훌륭한 업적 수십 가지를 상쇄할 정도의 반문명적이고 잔인한 천주교도인들에 대한 학살이 벌어진다. 서학이라 불린 천주교는 학문으로 처음 국내에 들어와 주로 남인 학자들에 의해 수용되었다. 정약용 집안이 대표적이라 할 수 있다. 이후 민중들의 삶이 어렵다보니 민중들에게 급속도로 전파 되었고 부녀자, 평민층에서 천주교 신자가 많이 생기기 시작했다.

영화의 첫장면에서 무명의 어머니가 천주교인이었고 그로 인해 처참하게 관군에게 살육 당하는 모습이 나온다. 그때부터 무명은 사랑하는 사람은 반드시 자기 손으로 지켜야겠다는 결심을 하게 된다. 천주교인들에 대한 박해는 지속적이고 광범위하게 지속된다. 최근 방한했던 프란체스카 교황은 박해 당시에 수없이 목이 잘려 순교했던 서소문 순교터를 방문해 그곳에 헌화와 함께 미사를 올렸다. 천주교를 믿느냐는 물음에 '아니오'라고만 하면 살려준다고 하였으나 대부분은 천주님을 '믿습니다'고 하였다.

결국 프랑스 선교사가 죽임을 당하고 이를 빌미로 프랑스 군대가 병인년에 조선을 침략하게 된다. 이에 조금 앞선 같은 해 7월에 미국 상선인 제너럴셔먼호가 평양 대동강에 당도하여 통상할 것을 요구하며 행패를 부리자 평양감사 박규수를 비롯한 평양 백성들이 배에 불을 지르고 미국인을 살해하는 사건이 터진다. 이후 4년 후에 미국이 이에 대한 배상을 요구하면서 신미양요가 터진다(1871). 1866년 병인년, 프랑스는 선교사 피살을 트집삼아 강화도를 공격하면서 병인양요가 일어난다. 병인양요란 병인년에 서양이 소요를 일으켰다는 말이다. 강화도의 문수산성, 정족산성에서 양헌수와 한성근 장군의 분전으로 다음날 프랑스군은 물러난다. 프랑스군은 강화도를 퇴각하면서 외규장각에 있는 의궤를 모두 가져간다.

의궤는 보기에도 화려한 비단에 조선의 여러 의례를 그림으로 정리한 소중한 국가의 자산이다. 이후 노무현 정부 때 프랑스 정부에 끈질기게 반환을 주장하여 일시적 대여라는 명목으로 우선 반환된다.

병인양요 2년 후인 1868년에는 엽기적인 사건이 발생한다. 독일인 상인 오페르트가 대원군의 아버지 남연군묘를 도굴하려고 한다. 이유는 남연군의 유골을 강탈하여 대원군과 통상 협상을 유리하게 하고자 했던 것. 이 시도는 실패로 돌아가고 대원군은 서양세력에 대해 다시는 상종 못할 오랑캐라 확신케 하는 계기가 된다. 1871년 신미년에는 제너럴셔먼호의 배상과 통상을 요구하며 미 군함이 강화도를 공격한다. 미 해군에는 조선군이 프랑스군을 물리친 무시무시한 군대라고 소문이 나 있었다. 미군은 조심스럽게 강화도를 공격해 본다. 막상 뚜껑을 열고 보니 1분에 1발 쏘는 조선의 화승총과 1분에 10발 이상 쏠 수 있는 미국의 레밍턴 소총과는 상대가 되지 않았다. 초지진, 덕진진, 광성보에서 조선군은 맞서 싸웠지만 역부족이었다. 조선군의 사망자는 어재연장군을 비롯해 350여명에 이르렀고 미군의 사망자는 단 3명이었다. 미군기자가 이 전투장면을 생생히 사진으로 찍어 기록하였다. 지금도 강화도 광성보에 가면 처참하게 찢기어 죽어간 조선관군들의 시신 사진을 볼 수 있다. 미군은 조선과 21일간 수교협상 끝에 조선군 총대장의 깃발 하나만 가지고 조선을 떠난다. 이를 보고 조선정부는 외세에 승리했다고 착각한다. 사실은 당시 프랑스나 미국은 중국이라는 거대 식민지 시장을 침략하면서 중국의 속국이라 여겨지는 조선을 한 번 건들여 본 것이다. 의외로 조선이 거칠게 대항하자 본래의 목적지인 중국에 집중하기 위해 떠난 것이다.

신미양요가 끝난 후 대원군은 전국에 척화비를 세워 더욱더 쇄국정책을 공고히 추진한다. 고종즉위 십년, 대원군이 대리섭정한지도 십년이다. 대원군이 외척의 폐해를 막기 위해 믿을만한 가문에서 며느리를 골라 중전으로 앉힌 게 고종 열여섯의 나이. 중전의 나이는 한 살 많은 열일곱이다. 민 중전의 용모는 그리 뛰어나지 않았으나 영민하였고 탁월한 정치 감각을 가지고 있었다. 주로 역사서와 정치서적을 탐독하기도 하였다. 고종10년 왕의 나이 22세. 최익현이 상소를 올린다. 그 상소에는 이런 내용을 담고 있다. "다만 그 지위에 있지 않고 종친 반열에 있는 사람은 그 지위만 높여 주시고 녹봉은 후하게 주시되 나라의 정사엔 관여하지 못하게 하소서." 이 상소로 온 조정이 발칵 뒤집힌다. 영화에서도 민 중전과 대원군의 갈등이 표면화되는 장면이 묘사된다. 민씨 중전을 만만하게 봤던 대원군이 당황해 한다. 중전은 국정 전반에 목소리를 내기 시작했고 민씨 외척들을 등용한다. 대원군으로서는 가장 우려했던 상황들이 터지기 시작한 것이다. 또한 중전은 고종에게 아버지의 섭정을 더 이상 하지 못하도록 막았다. 권력의 추는 급격히 민씨 세력으로 쏠린다. 그 앞자리는 왕비의 양오라비이며 대원군의 처남인 민승호가 있었다. 어느 날 민승호의 집으로 소포 하나가 배달된다. 소포를 뜯자마자 폭발을 하게 되고 주위에 있던 민씨 가문의 상당수가 죽게 된다. 중전이 결정적으로 대원군과 정적이 되는 순간이다. 중전은 이 소포를 대원군이 보냈을 것으로 확신한다. 영화에서는 명성황후의 부모가 죽는 장면으로 표현된다. 어쨌든 이 순간부터 명성황후의 눈빛은 달라지기 시작한다. 결국 집권 십년 후 1873년 대원군은 실각한다. 대원군이 이를 갈면서 명성황후에 대한 복수를 결심한 것도 이즈음이다.

일본은 우리보다 훨씬 먼저 개항과 개화를 시작했다. 1860년 미국의 함포외교로 강제적으로 개항을 한 일본은 메이지유신을 단행하여 압축 성장, 부국강병을 하게 된다. 일본은 조선과 서계문제(조선과 국교를 맺기 위한 일본의 외교문서이나 일본 황제라 표현된 내용을 보고 외교적 결례라 지적하며 조선정부가 거절)가 발생하자 일본의 내부에서 조선을 침략하자는 정한론이 대두되었다. 이윽고 1875년에 운요호를 강화도로 보내 자신들이 미국에게 당한 것과 똑같이 우리에게도 함포사격을 가하며 군사적 압박을 가해온다. 우리 측 피해가 만만치 않았다. 다시 일본 배 4척을 강화로 파견한 일본은 강화부로 들어와 불평등조약인 강화도 조약을 체결한다. 근대적 조약의 첫 번째였고 치외법권을 인정하고 3개 항구를 개항한 불평등 조약이었다.

조약 이후 곧바로 김기수를 대표로 한 1차 수신사가 파견되고 1880년에는 김홍집을 선두로 한 2차수신사가 일본으로 들어가 일본의 발전상과 실태를 살펴보고 온다. 고종은 일본의 변화에 대해 관심이 많아 수신사에서 돌아온 신하를 붙들고 몇 시간이나 궁금한 점을 물었다.

1881년에는 중국에도 사신을 파견한다. 중국에는 주로 무기와 관련된 부분을 시찰한다. 이른바 영선사가 그것이며 시찰단 대표로 김윤식을 파견한다. 텐진에 있는 기기국에 배치되어 연수를 받는다. 고종은 개화를 추진하기 위한 기구로 청나라의 조직을 본따 통리기무아문을 만든다. 김홍집은 2차 수신사로 돌아오는 길에 일본에서 청나라 대신 황준쎈을 만난다. 황준쎈은 김홍집에게 《조선책략》을 건넨다. 책의 핵심내용은 한마디로 러시아를 방비하고 미국과 수교를 하라는 내용을 담고 있다. 《조선책략》의 내용이 유생들 사이에 펴지자 영남의 이만손 등의 유생들은 영남만인소를 올려 극력 비판한다. 이만손은 이황의 손자다.

영화에서 "일본은 우리가 견제해야 할 나라이며 미국은 원래가 잘 모르는 나라인데 우리의 허점을 알고서 어려운 것을 강요해오면 어찌할 건지요? 러시아는 우리와 아무런 협의가 없는데 공연히 남의 이간술에 빠져 먼 나라와는 사귀고 이웃나라는 도발케 하는 전도된 행동을 해서 병란을 가져오게 된다면 어찌할 건지요?"라면서 극력 반대한다.

개화와 그를 반대하는 위정척사가 예각적으로 대립하던 시기, 민씨 일가는 시대의 흐름을 읽지 못하고 세도정치의 행태를 띠기 시작한다. 매관매직이 다시 기승을 부리고 지방에서의 조세상납 실적이 뚝 떨어지고 군인들의 녹봉이 계속 체불 되었다. 개화정책의 일환으로 신식군대인 별기군이 창설되고 상대적으로 훈련도감의 구식군인들에 대한 차별은 심화되었다.

임오년, 13개월이나 밀린 급료를 받기위해 줄을 선 군졸들은 한 달 치라도 급료를 기다리고 있었다. 급료로 받은 곡식에는 반이나 겨가 섞이고 모래가 있는 등 먹을 수 없는 상태였다. 이에 격분한 군사들이 쌓였던 분노가 폭발한다. 별기군을 습격하고 일본인 교관을 살해한다. 이 시위대에 일반백성들도 합류하여 난이 일어나니 이 사건이 바로 임오군란이다. 이들은 대원군을 찾아가면 무슨 방도가 있겠지 하는 생각에 대원군을 다시 권력의 전면에 내세운다. 고종은 어쩔 수 없이 대원군에게 전권을 맡기게 된다. 중전을 찾는 군인들에게 대원군은 중전마마는 승하하셨다고 말한다. 왜 대원군은 멀쩡히 피신해있는 민씨 중전을 죽었다고 한 것일까? 국상이 치러지고 나면 다시는 민씨 중전이 정치에 복귀하기 어렵다고 판단했으리라 짐작한다.

이쯤에서 다시 영화로 돌아가 보자. 무명과 민자영이 며칠간 둘이 함께 시간을 보냈던 시점이 임오군란 시 급히 몸을 피한 사건으로 그려진다. 영화에서는 대원군이 병사들을 부추겨 임오군란이 일어난 것처럼 암시하지만 사실과는 거리가 먼 내용이다. 며칠 후 돌아온 중전과 무명을 보고 대궐대신들은 수군거리다. 고종은 이런 소문을 알고는 잘 들어가지 않던 중전의 침소에 일부러 들어가기도 하고 무명을 대원군의 방패막이로 쓰기도 한다. 사실과 픽션의 절묘한 조합이다.

청나라와 일본이 이런 정치적 혼란기에 자국의 이익과 침탈을 위해 분주히 움직인다. 자국 국민의 보호와 배상금을 주장하는 일본과는 조일수호조규를 맺어 조선 땅에 일본군을 주둔하게 되는 계기가 된다. 청나라는 대원군을 납치하여 청으로 끌고 가 버리고 조청상민수륙무역장정(조선을 국가로 인정하지 않아 조약이 아닌 장정이란 표현을 썼다)을 맺어 조선 땅에 청나라 상인들이 내지로 들어와 상업 활동을 할 수 있게 되었다. 또한 청나라는 재정고문에 묄렌도르프를, 정치고문에 마젠창을 파견하여 청나라의 조선에 대한 속박을 공고히 하며 대내외에 조선은 내 것이라는 것을 천명한다.

명성황후는 다시 권력에 복귀하여 친청세력을 등에 업고 온건개화파와 가깝게 지내며 개화를 추진코자 한다. 그러나 이런 세력에 불만을 품은 세력인 바로 급진개화파 세력이다. 개화파의 뿌리는 실학사상의 원조 박지원 손자인 박규수의 북학파에 두고 있다. 조선 조정은 온건개화파와 개화당이라 불리는 급진개화파로 양분하게 된다. 급진 개화파의 지도자는 김옥균이다. 다재다능했던 그는 일본을 활용하여 조선을 개화하고 부국강병 하고자 하였다. 급진개화파는 청나라로부터의 독립이 조선의 급선무라 정세를 파악하고 일본에게 도움을 요청하여 정변을 계획하여 일어난 사건이 바로 갑신정변이다. 때는 1884년. 우정국 낙성식을 디데이로 잡고 변란을 일으킨다. 먼저 경우궁으로 고종을 모신 정변세력들은 민영목 등의 민씨 척족 대신을 살해한다. 그리고 혁신정강 14개조를 발표 하는 등의 재빠른 행보를 보인다. 그러나 청나라의 진압으로 이들 세력은 삼일천하로 끝나고 김옥균은 일본으로 망명한다. 함께 거사에 참여한 홍영식 등은 군사들에 의해 난자 살해된다. 홍영식의 아비는 역적의 씨를 남겨 둬선 안된다하여 손자에게 사약을 먹이고 자신도 뒤를 따랐다.

갑신정변을 통해 청나라의 조선 지배력은 더욱 강해졌다. 일본은 정변 중에 피살된 일본인들의 배상을 요구하며 한성조약을 체결하고, 일본과 청나라는 톈진조약을 체결한다. 이 조약에는 조선에 변란이 생겨 군대를 파견할 경우 서로 통지하고 변란이 수습되면 철수한다는 내용을 담고 있는데 이는 십 년 후 동학혁명 때 자동으로 일본군이 조선에 파견되는 명분이 되고 만다.

조선의 부잣집 엘리트로 구성됐던 급진개화파들은 무슨 세상을 꿈꿨을까? 그들이 일본에 기대긴 했지만 지금의 친일파 개념과는 다르다. 이들은 일본의 메이지 유신을 본떠 그들처럼 조선을 강한 나라로 키우고 싶었고 오랜 속국의 청나라로부터 독립코자 하였다. 그러나 그들은 너무 순진했다. 외교 면이나 정세를 읽어가는 힘에서도 금방 한계를 드러내고 말았다. 도와주기로 했던 일본이 발을 빼버리자 곧바로 그들은 무너졌다. 힘이 되어줄 민중과의 연계는 전혀 없었고 그들만의 정변으로 끝나버렸기 때문이다. 그야말로 삼일동안 꿈을 꾸다가 모두가 죽거나 뿔뿔이 흩어지고 만다. 갑신정변 이후 1894년 갑오년 격동의 한해를 맞기까지 조선은 잃어버린 10년의 허송세월을 보내고 만다. 물론 그동안 고종이 개화문명을 받아 들이고 국권을 회복해보고자 노력하나 황실의 보존 만에 급급해 했고 근시안적인 내정 개혁정책에 머물렀을 뿐이다. 영화에서 전기가 궁궐에 들어오는 장면이 나오는데 일본군 한 명이 이런 말을 한다. "우리보다 더 빠르네"라고. 사실이다. 모든 개화문명은 일본이 우리보다 빨랐지만 전기만은 조선정부가 미국과의 수교이후 곧바로 미국전기회사와 계약을 맺어 일본보다 앞서 들어온다.

1894년 벽두부터 나라의 정세는 심상치 않았다. 동학의 교주인 최제우의 신원운동으로 시작된 농민들의 시위는 점차 반봉건의 기치로 나아가게 된다. 드디어 고부에서 전봉준이 궐기하고 동학교도와 농민이 합세하여 관군을 황토현, 황룡촌에서 물리치고 전주성까지 함락해 버린다. 조선조정은 이때 섣부르고 위험한 판단을 하고 만다. 바로 청군에게 동학군 진압요청을 내린 것이다. 이에 일본은 1884년에 맺은 텐진조약을 빌미로 하여 군대를 파견한다. 이런 상황을 바라지 않던 동학군은 바로 조선정부와 화약을 맺고 집강소 설치 등의 약속을 받고 자진 해산한다. 그러나 일본군은 경복궁을 점령하고 고종을 위협하며 군대 철수를 이행하지 않는다. 이에 동학군의 2차 봉기가 시작된다. 이즈음 일본은 청나라 군에게 전쟁을 걸어 청일전쟁을 일으킨다. 조선정부는 일본의 압력을 받긴 했지만 자체적으로 군국기무처를 설치하여 1차 갑오개혁을 실시한다. 일본은 청일전쟁에서 승기를 잡자 군국기무처를 바로 폐지 해버리고 곧바로 직접 개혁을 실시하니 이것이 바로 2차 갑오개혁이다. 이런 개혁조치들은 향후 조선의 통치를 용이하게 하고자 한 치밀한 식민지 근대화 전략이었다는 사실을 간과해선 안 된다.

한편 동학군은 백산에 집결하여 논산을 걸쳐 우금치에 이른다. 손에 든 것이라곤 죽창과 낫 그리고 구식 화승총뿐이다. 화력 면에서 당해 낼 수가 없었다. 안타깝게도 동학 농민군의 참담한 패배로 끝나고 만다. 일본은 청일전쟁의 승리와 동학군의 진압으로 더욱 기세가 오르지만 곧바로 러시아의 간섭을 받는다. 청일전쟁의 승리로 얻은 전리품인 랴오둥 반도를 다시 반환해야 할 처지가 된 것이다. 이와 함께 조선 정부는 급속히 친러 쪽으로 방향을 튼다. 일본의 안하무인에 적대감을 갖고 있던 고종과 명성황후의 의중이 그러하였다. 이에 일본 정부는 조바심으로 부글부글 끓기 시작했다. 지금껏 조선을 식민지로 만들기 위해 밥상을 잘 차려놨는데 다 된밥에 코 빠뜨리는 형국이 될 공산이 큰 것이다. 그래서 일본에서 내린 결론은 바로 이른바 '여우 사냥'이란 작전명으로 명성황후를 시해하는 것이었다.

고종32년 8월 20일. 일본군과 무장한 사복들(낭인)은 작전을 개시한다. 시위대 군인과 훈련대 연대장 홍계훈이 현장에서 죽는다. 홍계훈은 뮤지컬 명성황후와 드라마에서 끝까지 명성황후를 지키는 역할로 등장하기도 한다. 명성황후는 나인의 옷으로 갈아입지만 이내 발각되고 일본 낭인들의 손에 처참하게 짓밟히고 불태워졌다. 드라마 〈명성황후〉에서 가슴을 찡하게 했던 '나는 조선의 국모다'는 일본 낭인들의 면전에서 호통치는 바로 이 순간에 나온 대사이다. 영화 〈불꽃처럼 나비처럼〉의 명성황후 시해 순간에 무명은 목숨을 바쳐 여왕이 아닌 자신의 정인을 지키고자 한다. 마치 드라마 〈모래시계〉에서 제이(이정재분)가 윤혜린(고현정분)을 끝까지 지키려는 모습처럼 말이다. 남자가 사랑하는 여자를 지키기 위해 목숨을 던지는 모습은 항상 여성 관객을 감동시킨다. 명성황후의 영화 속 의상은 백의민족의 후예를 나타내는 듯 순백의 하얀색이다. 수작업으로 4개월이나 걸렸다는 이 의상은 값으로 매기기 어려운 아름다움이 배우 수애의 얼굴과 완벽한 앙상블을 이룬다.

일본 미우라 공사는 만행을 저지른 후에 각국 공사들이 무슨 일인가 묻는 질문에 왕비의 정적인 대원군과 해산령에 분개한 훈련대가 합작해 벌인 일이고 우리와는 관계없다고 발뺌해버린다. 이 답변은 당시의 상황을 조금 들여다보면 답을 이미 일본은 준비하고 있었던 것을 알 수 있다. 일본은 명성황후 시해사건에 대원군을 이용한다. 둘의 갈등관계를 너무나 잘 알고 있는 일본정부는 시해사건 당일 대원군이 있는 공덕동으로 가서 대원군에게 협조해 줄 것을 요청한다. 살해할거라는 사실을 숨기고 단지 왕비를 권좌에서 끌어 내릴 것이라며 둘러댄다. 영화에선 대원군이 시해 사실을 알고 어떡하든 며늘아기를 살리라고 지시하는 장면이 나온다. 비록 영화이지만 차마 대원군이 비극적 현장에 있게 하진 않았다. 현실은 영화보다 가혹한 걸까. 역사는 대원군이 현장에서 이러지도 저러지도 못하고 상황을 지켜보았다고 한다. 최악의 시아버지와 며느리, 대원군과 명성왕후의 악연이 아닐 수 없다.

일본은 시해사건 후 대내외 비난에 직면한다. 형식적으로 몇 명은 본국으로 소환하여 재판까지 받게 한다. 얼마 안 되서 풀려나긴 하지만. 을미사변을 통한 일본의 노림수는 삼국간섭 특히 러시아의 방해로 인해 랴오둥반도를 다시 토해 내는 것도 억울한데 조선까지 러시아의 영향아래 들어간다면 지금까지 조선 침략에 대한 노력이 수포로 돌아갈 것이 두려워 다시 원위치로 돌려 놓고자 함이었다. 때문에 친러 정책의 핵심인 명성황후를 시해하여 주도권을 다시 잡은 것이다. 러시아와 지금 바로 맞서기에는 역부족임을 깨달은 일본은 명성황후를 죽이고 일단 이 순간 위기를 모면해보고자 했던 것이다. 이는 이후에 숨가쁘게 벌어지는 조선침략의 첫 번째 신호탄이었을 뿐이다.

일제강점기

〈대호〉

조선의
마지막 호랑이

일본의 야구성지 도쿄돔. 세계 프로야구 상위 12개 국이 좌웅을 겨루는 대회인 프리미어 12 대회가 열리고 있다. 한국과 일본의 준결승전이 한창이다. 이미 예선에서 승리를 거둔 일본은 다소 느긋한 입장이었고 한국은 9회까지 일본에게 경기를 끌려가고 있었다. 마지막 한국의 공격에 4번 타자 이대호가 멋진 2루타를 날려 한국 승리에 결정적 쐐기를 박는다. 관중석에 있는 한국인들은 너나없이 일어나 환호한다. 카메라는 응원석을 비춰 주는데 응원단이 들고 있는 한 현수막의 글귀가 눈에 확 꽂힌다. '조선의 4번 타자 이대호'. 대한민국이 아니고 조선이란다. 일제에 강점당한 조선이라는 국호가 도쿄돔에 휘날리니 묘한 기분이 들었다. 지금 이곳이 일본인들이 자랑스러워하는 도쿄돔에서 말이다. 영화 〈대호〉가 나왔을 때 맨 처음 떠오른 인물이 이대호 타자였다.

영화 〈대호〉는 물론 야구경기가 끝난 후 개봉되었다. 영화에서 조선의 마지막 호랑이의 이름이 대호다. 일단 호랑이 하면 우리 하고 가장 친근한 동물 중 하나다. 설화나 민화의 단골로 출연하는 동물이며 우리 민족하고는 떼려야 뗄 수 없는 맹수이다. 단군신화에 인내심

없는 동물로 나오는가 하면 88올림픽 때는 우리의 마스코트인 호돌이 역할도 맡았었다. 기원전 7천년 전부터 이 땅에 살기 시작한 조선 호랑이는 조선시대에 마마(천연두)와 더불어 호환이라 하여 민가를 침입하여 인명을 살상하기도 하며 백성을 괴롭히기도 했다. 심지어 호랑이 포획을 위해 조선시대에는 착호갑사라는 최정예 특수부대가 설치되기도 했다. 성종실록을 보면 "호랑이를 잡는 즉시 상을 주어 백성들의 믿음을 잃지 말게 하라"고 이르기도 하였다.

한반도 지도를 보면 일제 식민지치하 역사교육에서 가르쳐온 토끼 형상에서 호방한 민족주의 입장에서 다시 바라보면 만주벌판을 보며 호령하는 호랑이 상으로 바뀌기도 한다. 이 정도면 우리나라를 대표하는 명실상부한 동물임이 틀림없다. 그렇다면 호랑이가 조선에서, 한반도에서 사라진 때와 이유는 무엇일까? 간담이 서늘해지게 으르렁 거리는 조선범은 어떤 연유로 우리 땅에서 없어진 것일까? 조선의 마지막 호랑이라는 부제로 만들어진 영화 대호는 이런 질문에 일제 강점기라는 시대적 아픔을 담아 지리산 눈발 날리는 산속 공간에서 긴 겨울밤 할머니 옛날이야기처럼 들려준다.

때는 일제 강점기 1920년대, 나름의 사연을 가지고 지리산에서 조용히 살고 있는 조선 최고의 명포수 천만덕과 그의 아들. 그리고 지리산에서 조선의 마지막 호랑이로 살고 있는 호랑이 대호와의 운명적인 만남이 영화의 기본 스토리다. 지리산의 산군으로 불리는 대호는 전 세계 호랑이 중 가장 크다는 바로 조선범이다. 전체 몸무게가 400킬로그램이나 나갔고 몸길이가 3미터 80센티에 육박했다는 조선 호랑이 중에서도 왕인 대호. 당시 조선 사람들은 조선범을 산을 지키는 산군으로 우러르며 식민지 시절 둘 곳 없는 마음의 위안을 삼았다. 또한 사냥꾼 사이에도 산군은 포획하지 않는 걸 불문율로 두었다. 일제시대 조선총독부는 조선인의 생명과 재산을 지킨다는 명목하에 호랑이를 해로운 짐승으로 규정하고 조선범 사냥대인 '정호대'를 조직하여 무분별한 호랑이 포획에 나선다. 당시 일본인 야마모토 다다사부로가 쓴《정호기》를 보면 조선 포수 최순원이 당시의 상황을 이렇게 이야기 한다.

"커다란 바위가 산허리에 우뚝 솟아 있었으며 ,물은 계곡을 울리며 흐르고 낮에도 어두컴컴한 곳에서 생각지도 않게 한석조가 호랑이를 발견한 것이다! 호랑이는 사람이 있는지도 모르고 유유히 걸으며 산꼭대기에서 나오고 있었다. 호랑이보다 먼저 앞질러 가 바위 뒤에 숨어서 호랑이가 오기를 기다렸다. 호랑이가 떨어진 거리가 약 300걸음, 충분한 사정거리가 아니었으나 시험 삼아 한 발 쏘았더니 운좋게 등에 명중하였다.

호랑이는 격렬한 아픔에 포효하고 그 소리는 온산을 뒤흔들었다. 몰이꾼 한명이 공포에 질려 넘어지자 호랑이는 그 순간을 틈타 가까이 있던 바위굴로 힘껏 도망갔다.(중략)

작은 구멍으로 응시하며 총알을 쏘았다. 총알은 호랑이의 입을 맞혔고 다시 횃불을 굴안으로 넣고 두 번째 총알을 쏘았다. 두번째 총알은 머리를 뚫었다."

일제의 해수구제 정책으로 조선범은 멸종되고 만다. 1921년 경주 대덕산에서 호랑이를 발견하는 것을 끝으로 조선 호랑이를 이 땅에서 볼 수가 없게 되었고 1996년 4월에 대한민국 정부는 공식적인 멸종을 발표한다.

영화 〈대호〉는 눈 내리는 지리산을 롱샷으로 잡고 두껍게 쌓인 눈을 밟고 가는 포수 천만덕을 카메라가 따라가는 장면으로 시작한다. 지리산 줄기를 따라 올라간 만덕은 조용히 산군을 기다린다. 온 감각의 촉수가 짐승의 숨소리를 포착하기 위해 곤두선다. 멀리서 언뜻 둔중한 걸음소리가 들려온다. 사람의 발소리 따윈 아니다. 만덕은 사냥총에 장전을 확인하고 목표물을 향해 조준한다. 폐부 깊숙이 우렁차게 울려나오는 맹수의 왕 대호의 포효는 지리산의 심장을 갈기갈기 찢는 듯하다. 대호와 만덕의 만남. 산 바람이 나무 가지를 세차게 흔들며 지나고 거기엔 죽음 같은 적막이 감돈다. 둘의 사연은 대체 무엇이길래 사람의 애간장을 이토록 흩뜨려 놓는 것일까?

만덕은 조선의 호랑이를 잡는 명포수다. 그는 호랑이 사냥을 나갔다가 오인 사격하여 사랑하는 아내를 잃는다. 다시는 총을 잡지 않고 아들과 둘이서 조용히 지리산 자락에서 살고 있다. 일제는 호랑이 사냥대를 조직하여 지리산의 산군 사냥을 나서나 번번이 실패한다.

20년대 일본의 대 조선 정책은 기만적 유화 통치 시기였다. 일제는 합방 후 헌병무단 통치를 하여 공포정책으로 조선을 다스린다. 3.1운동 이후 일본 내에서도 조선 통치에 대한 그간의 무리수를 재고하게 되었고 십년간의 조선지배 후 나름의 자신감을 보여 이른바 문화통치가 실시된다. 1920년 이후부터는 조선민중을 유화책으로 회유하고 이간시켜 이중적 통치 행태를 보인다. 이런 분위기에서 마을마다 존재했던 산군 조선범은 당시 조선민중에겐 조선인을 지켜주는 수호신 같은 역할을 하였다. 이를 못마땅하게 여긴 일제는 호랑이 포획에 나선 것이다. 일본에는 호랑이가 살지 않아 일본본토의 고위 관료나 장성들에게는 호기심을 일으켰고 호랑이 가죽은 상당한 고가로 팔리기도 하였다.

일본의 호랑이 사냥은 임진란 때부터 거슬러 올라간다. 일본의 고문서를 보면,

'임란 원년 ,일본군의 무장인 카메이 코래노리는 부산에 가까이 있는 기장성을 점령해, 토요토미에게 한 마리의 호랑이를 보냈다. 드물게 보는 거대한 호랑이였기 때문에 토요토미는 교토로 호랑이를 보내서 천황에게 보였다. 그리고 호랑이를 수레에 실어서 장안을 돌아 다녔다...그때 미친 듯이 기뻐서 춤을 추자 그 이후, 무장들은 경쟁하듯 토요토미에게 호랑이를 보냈다고 한다.'

또한 우리에게 잘 알려진 가토 기요마사의 조선 호랑이 사냥기는 대부분 사실로 봐도 좋다. 그는 임란 때 병사들의 사기를 올리기 위해 조선의 호랑이를 잡아 가죽을 벗겼으며 나중에 일본으로 돌아갈

때 꽤 많은 수의 호랑이 가죽을 가지고 갔다고 한다.

정호기 후기에는 일제시대 일본 제국호텔에서 호랑이 고기 시식회를 열었다는 내용이 나온다.

야마모토 정호군이 가지고 온 선물인 호랑이 고기 시식회는 20일 오후 5시부터 제국호텔에서 개최 되었다. 명사 200여명이 참석하였다. 식당의 안팎은 호랑이 사냥이 테마여서 대나무 숲을 배경으로 사냥감인 호랑이와 표범, 곰, 노루의 박제를 배치해 호랑이 사냥의 기분을 만끽할 수 있게 했다. 식단으로는

1. 함경남도 호랑이의 차가운 고기 (푹익힘,토마토 케첩으로 마리네 함)
2. 영흥 기러기 스프
3. 부산 도미 양주 찜 (국물과 함께)
4. 북청 산양 볶음(야채 곁들임)
5. 고원 멧돼지 고기(크랜베리 소스,샐러드 곁들임)
6. 아이스크림
7. 과일,커피

야마모토는 시식회가 끝난 후 이렇게 연설한다. "센고쿠 시대의 무장은 진중의 사기를 높이기 위해 조선의 호랑이를 잡았습니다. 다이쇼 시대의 저희들은 일본 영토 안에서 호랑이를 잡아 왔습니다. 여기에 깊은 의미가 있다고 생각합니다." 임진왜란 때 진중에서 가토 기요마사의 호랑이 사냥과 비교하여 지금 식민지 조선 땅에서 호랑이를 잡은 것에 대한 우월감의 표현이다. 이들은 조선의 호랑이 고기

만을 먹은 것이 아니라 조선의 혼 그 자체를 삼켰는지 모른다. 아마도 그런 의식의 일환인 이벤트였을 것이다.

영화 〈대호〉도 얼핏 포수와 호랑이의 치고받는 한 편의 수렵기 영화처럼 보인다. 그러나 전혀 그렇지 않다. 대호와 만덕은 애초부터 한몸이었다. 조선민중과 조선의 호랑이를 한편으로 하고 일본의 제국주의와 그에 빌붙어 먹고 사는 포수들을 다른 편으로 하는 대리전쟁이었다.

영화 속에서 만덕과 대호에게는 또 다른 사연이 있다. 만덕이 한창 잘 나가는 시절 만덕은 대호의 어미 호랑이를 총으로 잡는다. 그 자리에는 새끼 호랑이가 있었다. 만덕은 새끼 호랑이에게 먹이를 가져다 주는 등 관심과 애정을 보인다. 한 쪽 눈이 기형으로 태어난 새끼 호랑이 대호는 후일 지리산의 산군이 된다.

만덕은 아내를 죽였다는 자책으로 다시는 총을 들지 못하고 아들 석과 조용히 지리산에 살기를 희망하나 이풍진 조선땅은 그를 가만히 놓아두지 않는다. 만덕의 아들 석에게 사랑하는 사람이 생기고 결혼을 하기 위해선 돈이 필요했다. 결국 일본군대와 범몰이꾼과 함께 나선 석은 목숨을 잃게 되고 대호는 늑대밥이 될 처지에 있던 석의 시신을 만덕에게 몰래 건네주고 떠난다. 나름의 옛 은혜에 대한 대호다운 보은이다. 둘은 이제 피할래야 피할 수 없는 정면 대결을 벌인다. 어느 누구도 승리자가 없는 결과로 영화는 끝난다. 국권을 상실한 나라에서는 민중도 짐승도 자유롭지 못함을 상징적으로 보여준다. 쓰러진 만덕과 대호 위로 지리산의 눈이 펑펑 쌓이게 되고 화석처럼 둘은 굳어간다.

조선의 호랑이는 지금 전라도 남단 목포에 있는 유달 초등학교에 박제되어 있다. 유일하게 눈으로 확인할 수 있는 조선호랑이 박제물이다. 일본인 엔도 키미코가 쓴 책《한국 호랑이는 왜 사라졌는가》를 보면 조선 호랑이를 본 소감을 이렇게 적고 있다.

아시아의 호랑이라고 불리는 귀중한 표본이다. 몸 길이는 2미터, 호랑이로서는 중간크기 정도였다. 그래도 발 크기와 몸통 굵기로 보면 100킬로는 넘는 체중이 틀림없다. 이 나라의 단 하나뿐인 호랑이라고 생각하자 다리가 떨려왔다.

쌀쌀한 현관에서 1911년 당시의 전라남도 영광군 불갑산이 생각났다. 그곳의 왕으로 군림하다가 어떻게 해서 학교까지 오게 되었을까? 유리 케이스에 얼굴을 갖다 대었다가 떼었다가 해서 바라보았다. 전신에 힘이 들어간 멋진 호랑이 박제였다. 후략

그렇다면 한국의 호랑이는 지구상에서 완전히 사라진 것일까? 동물학자들은 한국 호랑이와 같은 혈통의 아무르 호랑이가 지금도 극동 러시아의 연해주 지역을 중심으로 약 400~500마리나 생존해 있다고 한다. 그러나 관리가 제대로 되지 않아 개체수 보존이 그리 낙관적이지 않다고 한다.

구전가요 중에 이런 대목이 있다.

'백두산의 호랑이야 지금도 살아 있느냐? 살아있다면 어흥하고

힘차게 소리쳐보렴.'

통일이 된 후 백두산에서 대호를 만나고 싶거든 지금이라도 러시아 정부와 연계하여 연해주 지역의 호랑이 보존 사업에도 관심을 갖는 계기가 되었으면 한다. 다시 한 번 말하지만 조선의 호랑이는 우리 민족의 혼과 같은 존재이기 때문이다.

일제강점기

누군가 기억해야 할 눈물

일본 요인과 친일부호 암살을 앞둔 하루 전날. 팽팽한 긴장감을 뚫고 안윤옥에게 묻는다.

사람 두 명을 죽인다고 독립이 되냐고. 거사 준비를 하고 있던 안옥윤은 답한다.

"모르지. 그렇지만 알려줘야지. 우린 계속 싸우고 있다고. 누군가는 계속 싸워야한다고."

영화 〈암살〉에서 가장 가슴 먹먹한 장면이다. 어떤 보장도 대가도 없다. 성공한다고 해도 소기의 목적을 달성하기에는 앞으로 지난한 여정이 남아 있을 뿐이다. 실패하면 소중한 목숨은 그날로 끝이다. 그러나 기억해주길 희망한다. 우리에게 누군가 그 시대 끝까지 계속 투쟁했던 사람들이 있었음을. 그 '기억'을 기억해주길 독립군 안옥윤은 간절히 소망한다.

한국영화 역대 흥행 기록을 보면 묘한 징크스가 하나가 있다. 일제시대 독립운동을 다룬 영화치고 흥행에 성공했던 영화가 거의 없다. 영화적 스토리와 캐릭터가 무궁무진 할 것 같은데 영화로 만들어 내면 관객 스코어는 그리 썩 훌륭하지 않아 투자사는 적자에 허덕인다. 그 이유는 우리의 상처를 온전히 들여다보는 것이 그리 유쾌하지 않고 오히려 아프고 힘들기 때문이거나 아니면 그 아픔을 온전히 영상이나 스토리에 담아내지 못했거나. 그러나 영화 〈암살〉은 흥미 있는 스토리텔링에 시대적 아픔과 민족의 소명의식까지 스크린에 담아 내는 데 성공한다. 그 성공 판단 여부는 전적으로 천만 관객의 지지로 표현됐다. 독립운동은 정말 모든 것을 걸지 않으면 안되었고 정녕 무엇을 바라지 않는 순교자적 행위였다.

최근 역사시간에 한 초등학생이 물었단다. '일본이 우릴 침략하도록 그때 어른들은 대체 뭘 하고 있었어요?' 가슴 아픈 역사이야기를 듣고 만 있던 어린 학생이 답답한 마음에 질문을 던진 것이다. 우린 이제 여기에 답해야 한다. 다시는 반복하지 않아야 하기에, 보다 뚜렷이 기억해야 하기에... 그래서 많은 젊은 청춘들이 산화하였고 극악한 일본 제국주의자들의 만행을 온 몸으로 부딪쳐 겪어내지 않았으면 안됐었던 이유를 '피로 써 기록'해야 한다고. 지금 일본 아베정권은 일본 자위대의 무장을 합법화 시켰다. 어쩌면 우리의 적은 북쪽에도 있지만 뒤통수에도 엄존하고 있다. 역사는 반복된다는 평범한 경구가 갑자기 모골을 송연하게 만든다. 대비해야 한다. 역사는 분명히 '기억하지 않는 민족에겐 반복이라는 형벌'을 내린다는 것을.

자 이제 초등학생의 질문에 대답해보자. 우린 왜 그때 그렇게 망가졌을까?

조선의 마지막 부흥기였던 영조, 정조 시대를 구가하다 정조의 급작스런 죽음으로 조선은 급속히 무너지기 시작한다. 조선의 운이 그만큼 이었을까? 세도정치의 시대가 도래한 것이다. 이때는 붕당정치도 끝이 나고 한 가문이 나라를 이끌게 된다. 안동김씨, 풍양조씨가 그들이다. 삼정의 문란과 매관매직, 비리와 부패는 조선 오백년 역사에 가장 심하게 악취가 진동한다. 홍경래의 난과 임술농민봉기 등 민란이 끊이지 않는다. 철종 시대, 민란을 다룬 영화 〈군도 민란의 난〉이란 영화가 그 혼란스런 시대를 잘 그려냈다. 철종 사후 고종이 왕위에 오르는데 아직 나이가 어려 고종의 아버지 대원군이 섭정을 하게 된다. 대원군은 철저한 쇄국정책으로 외국의 통상요구와 침탈을 막아낸다. 허나 역사의 도도한 물결을 어찌 혼자의 힘으로 막을 수 있겠는가? 대원군의 하야이후 조선은 빠른 속도로 통상과 개항의 물결이 들이 닥친다. 일본과의 강화도 조약을 시작으로 하여 개화 정책이 추진되나 조선인의 입장과 관점이 아닌 철저히 외세의 이해와 요구로 침탈이 가속화 된다.

임오군란(1882)과 갑신정변(1884) 등을 거치면서 조선은 더욱 더 청나라의 속방이 되며 일본과 러시아는 호시탐탐 조선을 침탈하기 위해 기회를 노린다. 운명의 1894년. 조선의 운명이 동양 역사의 손바닥에 놓인다. 곪을 대로 곪은 조선은 갑오년에 드디어 동학교도를 중심으로 한 농민들의 불만이 표출되기 시작한다. 전봉준을 필두로 한 동학군은 전주성을 함락해 버린다. 그러나 일본과 청이 국내에 들어오자 침략의 빌미를 제공해선 안 된다는 판단 하에 동학군은 정부와 전주화약을 맺고 자진 해산한다. 그러나 조선 조정이 동학란을 진압하기 위해 부른 청나라와 그에 덩달아 군대를 이끌고 들어온 일본군간의 전쟁이 시작된다. 청일전쟁이다. 조선 땅에서 일본과 청나라군대가 맞붙게 돼 버린 것이다. 동학군은 이런 사실을 알고 외세의 무조건적인 철군을 요청하나 일본은 이를 무시하고 경복궁을 점령해버린다. 바로 이 사건이 2차 동학 농민봉기의 발화점이 된다. 청일전쟁의 승기를 잡은 일본은 관군과 함께 총구를 동학농민들에게 향하게 된다. 이후 일본은 명성왕후의 시해 등 거침없는 침략의 본성을 드러낸다. 1904년 러일전쟁 이후 대한제국을 병참기지화 하는 한일의정서를 시작으로 1905년에는 결국 외교권 박탈이라는 을사늑약을 맺게 이른다. 을사늑약을 맺은 시점에 일본은 이미 조선을 넘보는 열강들과 밀약을 맺어 놓는 치밀함을 보인다. 영국과의 제2차 영일동맹에 이어 미국과 카스라태프트 밀약을, 러일전쟁의 승리 후 러시아와 포츠머스 조약까지. 일본과 제국주의 열강들은 적당히 식민지를 나눠먹기 하게 된 것이다. 아직 외교에 순진한 대한제국의 고종은 헐버트를 시켜 미국 대통령에게 밀지를 보내기도 하나 이미 일본은 필리핀에 대한 미국의 선점권을 인정해 주는 밀약을 맺은 상태였다. 이후 조선정부의 군사권이 박탈되는 정미7조약을 거쳐 1910년 한일합방에 이르게 된다. 오히려 한일합방이 되던 해 민심은 조용했다.

그렇다면 우린 그냥 가만히 당하고만 있었을까? 을미사변과 단발령에 대한 저항으로 을미의병, 을사늑약으로 인한 분노로 을사의병, 그리고 강제적 군대해산으로 인한 정미의병까지 끊이지 않는 저항과 투쟁이 한일병탄 전까지 이어진다. 일제는 의병을 이대로 가만히 둬선 향후 안정적인 한반도 지배가 어렵다고 판단한다. 한일합방 직전인, 1909년 이른바 '남한 토벌 대작전'을 펼쳐 암중모색중인 의병들의 근거지를 초토화 시켜버린다. 이로 인해 대부분의 독립운동가들은 만주와 연해주, 상해로 투쟁의 장을 옮길 수밖에 없게 된다.

이후 서간도와 북간도 그리고 연해주 등에 독립운동 전초기지를 건설한다. 이당시 이시영, 이회영 형제들은 가산을 모두 정리하고(지금 돈으로 약 600억원 정도의 재산으로 추정) 삼원보에 독립기지와 교육시설 등을 만들고 장기적 투쟁의 터전을 만들기도 한다. 독립군 엘리트의 산실이었고 영화에서 '속사포'가 그토록 자랑해 마지 않았던 그의 모교인 신흥무관학교가 바로 이시영일가의 자금으로 만들어진다. 노블레스 오블리주의 전형을 보여준다.

1910년대는 독립전쟁을 위한 전초기지를 만들고 교육하는 기간이었다. 사람을 모으고 교육하고 군사훈련하면서 먹고 살기까지 해야 하는 십년이었다. 1919년 3.1운동을 기점으로 독립운동은 더욱 더 활발해진다. 그 첫 번째가 상해 임시정부의 수립이다. 서울의 한성정부와 연해주의 임시정부를 통합하여 외교전을 펼치기에 적당한 상해에 임시정부를 두게 된다. 드디어 1920년이 밝아 오면서 본격적인 독립 무장전쟁이 시작된다. 먼저 민족주의 단체인 의열단의 활약이다. 영화 '암살' 첫씬에 등장하는 약산 김원봉이 바로 의열단의 지도자였다. 이들은 각개 격파식의 게릴라 투쟁을 전개했다. 이는 힘이 약한 자의 가장 효과적인 전술이기도 했다. 토지조사사업을 통해 조선인의 토지강탈에 앞장섰던 동양척식주식회사에 나석주는 폭탄을 투척한다. 또한 지금도 전설처럼 회자되고 있는 종로경찰서 습격사건. 1대 400명의 총격전을 벌이고 난 후 마지막 한발로 자결하는 의열단원 김상옥. 악명 높은 조선총독부 심장부에 폭탄을 던지고 거사 전 동지들 앞에서 살아 돌아오겠다고 약속한 장소에 홀연히 나타난 김익상이 바로 의열단의 단원들이다. 이들은 비록 개인의 개별적인 투쟁이긴 했지만 조선인은 독립을 위해 한 호흡도 쉼 없이 투쟁하고 있다는 사실을 세계 만방에 보여준 거사였다.

이후 의열단의 단발적 독립투쟁이 그리 효과적이지 못하다고 판단한 김원봉은 스스로 황푸군관학교에 학생으로 입교한다. 이곳에서 체계적으로 군사교육을 마친 김원봉은 조선무관학교를 설립하고 항일운동의 힘을 배양하여 30년대 최초의 좌우합작 기구인 '민족혁명당'의 단초를 만든다.

20년대부터 본격적으로 시작한 무장 독립투쟁은 대한독립군의 홍범도가 서전을 장식한다. 바로 봉오동 전투가 그것인데, 여기서 대승을 거둔 독립군은 일제가 조작한 훈춘사건으로 일본군에게 쫓기는 신세가 된다. 중국 국경을 넘어가야 독립군을 소탕할 수 있으나 아직은 명분없이 중국 땅에 들어서긴 곤란한 상황이었던 일본. 그들은 마적단을 매수하여 훈춘의 민가와 일본 영사관을 공격하게 한다. 이를 구실로 만주땅 훈춘에 침략하여 다수의 조선백성들을 무참하게 학살하며 독립군을 쫓는다. 어쩔 수 없이 독립군의 대부분 병력은 이동 할 수밖에 없었고 청산리라는 곳에 이르렀을 때 김좌진과 홍범도는 이곳이 매복하여 일본군을 격멸할 수 있는 최상의 지형지물이라고 판단한다. 이곳에서 펼쳐진 전투가 청산리 대첩이다. 무려 일본군 5만 명을 이천오백의 병력으로 궤멸시킨 것이다.

약이 바짝 오른 일본은 천인공노할 만행을 저지르고 만다. 바로 간도 참변이다. 간도에 있는 우리 동포들은 음과 양으로 그동안 독립군에 대한 지원을 해왔다. 이를 잘 알고 있는 일제는 자신들의 피해에 대한 복수심으로 조선 민간인을 무참히 학살한다. 약 3천7백 명의 죄 없는 조선인이 무차별적인 학살의 피해자가 된 것이다. 당시를 취재했던 한 외국기자의 증언에 따르면, 일본군은 조선인이 살고 있는 모든 마을에 불을 지르고 집에서 튀어 나오는 민간인에 무차별 사격을 가해 마을 전체를 소개 했다는 것이다. 피눈물 나는 우리 민족의 아픈 역사였다.

결국 더 이상 조선인들의 도움을 받기 어렵게 된 독립군 부대들은 밀산으로 집결하게 된다. 그곳에서 러시아 사회주의자들이 한국의 독립을 지원해 주겠다는 말을 믿고 대부분의 독립부대들은 러시아의 자유시(알렉시에프스크)로 이동한다. 그러나 이곳에서 독립운동사의 비극적 사건으로 기록된 자유시참변이 발생한다. 러시아 사회주의자들이 한국의 독립부대에게 무장해제를 요구하며 러시아 군대조직으로 합류하라 하였고 이에 대해 독립군 내부에서도 의견충

돌을 빚어 급기야는 우리끼리 유혈충돌까지 빚어지고 마는 부끄러운 역사를 만들고 만다. 겨우 사태를 수습하고 다시 전열을 정비한 독립군 부대들은 러시아를 떠나게 된다. 전열을 정비한 독립군 부대는 서간도에서 만주의 동부지역에 이르러 3부를 결성하기에 이른다. 1923년 참의부를 시작으로 하여 정의부, 신민부를 결성하고 각 부에 행정부와 군사조직을 별도로 갖추게 된다.

1925년 독립군의 조직 재정비와 거점 확보를 보다 못한 일본은 만주의 군벌인 장쭤린과 밀약을 맺고 한국의 독립군을 생포, 사살하면 두둑한 포상금을 주는 이른바 미쓰야 협정을 맺게 된다. 이로 인해 만주의 3부 독립군단은 상당한 고초와 어려움을 겪게 된다.

참의부, 정의부, 신민부의 3부는 다시 하나로 통합코자 하였으나 통합을 둘러싼 방법에 이견이 있어 북만주엔 국민부, 남만주에는 혁신의회로 재편된다. 두 군 정부는 휘하에 정당과 무장부대까지 거느리고 있었는데 혁신의회는 한국독립당과 한국독립군, 국민부 측은 조선 독립당과 조선독립군이 휘하에 배치되어 있었다. 1931년 만주사변을 일으킨 일제에 항거하여 혁신의회와 국민부는 중국과 연합작전을 펴게 된다. 만주사변 전만 하더라도 한반도의 상황을 강 건너 불구경만 하던 중국도 이제는 일제의 중국침략에 적극적인 응전으로 나설 수밖에 없었다. 한중연합 작전이 나름의 성과를 거두긴 했지만 이후 승리에 대한 전리품 분배 문제로 중국군과 의견마찰을 보여 결국 결별하고 만다.

한편, 김원봉은 흩어진 독립운동의 모든 세력을 한데 모아 민족

혁명당을 건설한다. 김구를 제외한 모든 독립 세력의 규합을 이루어 내는 데 성공한다. 그러나 좌우 통합의 기쁨도 잠시. 우익세력인 조소앙과 지청천은 민족 혁명당에서 분리해 나와 김구와 함께 충칭에 한국독립당을 만들고 대한민국 임시정부 충칭 시대를 본격적으로 열게 된다.

영화 〈암살〉의 배경이 되던 1930년대는 일제 강점기 35년 중 가장 암울한 시기였다. 한일합방 후 십년은 일제의 무단통치 기간이었다. 학교 선생은 큰칼을 차고 수업에 들어 왔으며, 일본헌병이 직접 조선백성들을 통치하며 명령을 어길시 즉결심판권이 주어졌다. 길거리에서 태형이 내려지기도 했다. 이런 공포와 압제를 뚫고 일어난 3.1운동으로 민족해방 운동의 힘을 얻는가 했더니 20년대 중반이 되자 국내의 정서는 무력감과 패배감이 지배하고 있었다. 많은 사람이 목숨을 걸고 만세운동을 펼쳤지만 달라진 게 아무것도 없다고 느껴졌다. 만세를 외쳐 봐도 무장독립운동을 해봐도 우리의 독립은 요원하기만 한 것 같았다. 오히려 일본은 만주를 점령하고 더욱 강해졌고 점점 잘 나갔다. 민족세력 내부에서 '타협적 민족주의자'들의 발언이 커지기 시작했고 이대로 그냥 일제와 더불어 우리끼리 잘살자는 '자치론'이 심심치 않게 나올 정도였다.

희망이 보이지 않던 무기력한 정서 속에 맞은 30년대. 일제의 식민지 통치는 이제 영원히 갈 것만 같았다. 이때 등장한 게 바로 '한인 애국단'이었다. 김구가 조직한 한인 애국단의 활약이 바로 영화 〈암살〉의 모티프가 된 것이다. 애국단 소속 이봉창과 윤봉길이 바로 그 주인공이다. 침체된 대한민국의 독립운동 기운을 일거에 다시 일으킨 쾌거였다. 이봉창은 일본에서 잡역을 하면서 돈을 벌고자 했던 평범한 청년이었다. 그러나 이내 식민지의 조선인으로는 희망이 없다는 걸 깨닫는다. 이봉창은 김구에게 이런 말을 했다.

'저는 일본에서 놀만치 놀면서 지상의 쾌락을 다 맛보았습니다. 이제 하나 뿐인 목숨, 영원한 기쁨을 느끼는 일에 쓰고 싶습니다.'

김구는 처음에 이런 모습이 썩 미덥지 못했다. 그래서 몇 달간 곁에 두고 사람을 두어 지켜 보고서야 그의 진심을 알고는 독립자금과 폭탄을 준비해 주었다고 한다. 윤봉길은 상해 홍코우 공원에서 폭탄을 던져 일본인 장성 여럿을 즉사시키고 체포되어 사형을 당한다.

당시에 거사를 눈앞에 둔 독립투사들은 기념사진을 마지막으로 찍는 게 관례였다. 덕분에 우리는 이봉창과 윤봉길의 거사직전 얼굴들을 볼 수 있다. 이봉창은 환하게 웃고 있고 윤봉길은 다소 긴장했는지 얼굴에 엷은 미소만이 스치고 있다. 그러나 모두 평화로운 얼굴이다. 이제 가면 다시는 돌아오지 못할 것이라는 걸 너무나 잘 알고 있다. 역사를 위해, 조국을 위해 하나 뿐인 목숨을 내놓은 것이다.

영화 〈암살〉 개봉 이후 배우 전지현이 역할을 맡았던 안윤옥 같은 여자 저격수가 실제 있었느냐는 물음이 많았다. 가장 근사치의 인물이 실존인물인 남자현이다. 그녀는 의병으로 나선 남편을 여의고 직접 독립투쟁에 가담한다. 당시의 나이가 오십에 가까웠으니 전지현처럼 젊은 여인네는 아니었다. 남자현은 두 번이나 요인 암살 작전에 참여하지만 아쉽게도 성공하진 못한다. 나중에 일본군에 잡혀 혹독한 고문에 감옥에서 순국한다.

중일전쟁(1937년) 이후 중국관내 무장 독립투쟁단체인 조선 의용대를 건설한 김원봉은 화북지대 전투지역으로 건너간 세력을 제외한 나머지 부대를 이끌고 대한민국 임시정부의 한국광복군에 합류한다. 명실상부한 좌우합작 군사주력 부대가 만들어 진 것이다. 화북지대에 남아있던 조선의용대의 김두봉은 그곳에서 조선 독립동맹을 만들고 조선의용군을 창설한다. 바로 이 조선의용군이 이후 조선민주주의 인민공화국 부대인 인민군의 모태가 된다.

영화에서 일본의 항복조인식을 지켜보던 독립군은 드디어 집에 가게 되었다고 환호한다. 과연 그들은 꿈에도 그리던 고향에서 환대를 받았을까? 해방 후 광화문에 게양되어 있던 조선총독부의 일장기는 내려지고 대신 미군정의 성조기가 올라가는 장면은 상징적으로 향후 대한민국의 앞길이 어떻게 펼쳐질지 짐작케 하는 장면이었다. 미군정은 38선 이남의 어떤 단체나 조직도 인정하지 않았다. 김구를 비롯한 독립운동가들은 대한민국 임시정부의 수반과 각료임에도 불구하고 해방 되고 몇 달이 지나서야, 그것도 개인자격으로 한국에 입국할 수 있었다. 미군정은 행정에 익숙하다는 이유로 친일파들을 그대로 그 자리에 쓰게 된다. 결국 남한만의 총선이 1948년 5월 10일 치러지고 7월 17일 제헌국회가 만들어진다. 제헌국회에서 맨 처음 한일은 '반민족처벌자에 관한 특례법'을 제정하고 반민족행위특

별조사위원회(이하 반민특위)가 친일행각을 벌인 친일파에 대한 검거와 수사활동을 본격적으로 벌일 수 있게 한 것이다. 영화 〈암살〉에서 친일 스파이 노릇을 하던 바로 염석진 같은 사람을 처벌코자 만든 법이다. 그러나 대한민국은 역사바로세우기의 첫 번째 임무를 실패하고 만다. 이승만 정부는 반민특위 위원들을 빨갱이로 덧칠하고 조기 해산시켜 버린 것이다. 염석진의 경우처럼 증거불충분으로 무죄방면된 사람도 상당수다. 무엇보다 기가 막힌 사실은 해방이 되고 나라를 다시 찾았지만 독립군을 체포 고문했던 노덕술 같은 인물이 독립군 김원봉을 불법 체포 구금하여 종로경찰서에서 사흘간 고문했던 사실이다. 단지 빨갱이라 의심된다는 이유 하나로. 김원봉은 풀려난 후 의열단 단원들과 사흘간 땅을 치고 통곡을 했다한다. 만주벌판을 누비며 독립운동의 선봉에 섰던 김원봉이 해방된 조국에서 친일파 형사에게 고문을 당할 줄이야 상상이나 했겠는가. 김원봉은 1948년 남북협상 때 북으로 올라가서 돌아오지 않았다. 김원봉은 북에서도 환영받지 못했다. 김일성의 유일 주체사상의 강화로 숙청되었다고 한다. 북과 남 모두로부터 외면당했던 김원봉의 모습이 바로 우리 역사의 비극과 아이러니를 단적으로 보여준다.

영화에서나마 우리에게 카타르시스와 쾌감을 느끼라는 최동훈 감독의 배려였을까? 통쾌하면서 가슴 후련했던 장면은 이것이었다. 해방 후에도 호가호위하며 살아가던 염석진과 맞닥뜨린 안옥윤은 김구가 내린 명령을 16년 만에 완수하겠다며 염석진에게 총구를 들이댄다. 혹시나 또 실패하면 어쩌나 하는 마음에 가슴 졸였지만, 안윤옥은 한치의 망설임도 없이 깔끔하게 염석진을 처단한다.

영화의 마지막 장면에서 김원봉과 김구는 마주선다. 해방이 되었다는 소식에 모두가 들떠 있을 때 김원봉은 조그만 방으로 들어가 촛불을 하나씩 켠다. 독립을 위해서 목숨을 초개와 같이 바친 넋들을 위로하는 장면이다. 비록 외세에 의해 얻어진 해방이지만 이들의 투쟁이 결코 헛되지 않았다는 걸 두 사람은 너무나 잘 알고 있었다. 그리고 이후에 펼쳐질 신산스런 조국의 운명에 대한 걱정이 그들의 어깨를 누르고 있었을 것이다. 이후 70여년이 지났다. 우리들 가슴속에 말 걸어본다. 그들이 세우고 싶었던 조국을 우리는 만들고 있을까? 그들이 정녕 바라던 것을 우리는 추구하고 있을까?

근현대사

〈태백산맥〉

해방 후
역사의 진실을 찾아

아껴보고 싶은 영화나 책이 있다. 페이지가 넘겨 질 때 마다 한숨이 나온다. 이제 읽어야할 분량이 얼마 남지 않아서다. 그런 책이 바로 나에겐《태백산맥》이었다. 1990년대 서울대 신입생들이 가장 감명깊게 읽은 책으로《태백산맥》을 꼽았고 소위 86세대(1980년대 학번 1960년대 출생)의 열화와 같은 지지와 애정을 받았던 작품이 조정래 작가의《태백산맥》이다. 당시에는 누구나 소설《태백산맥》을 가지고 영상으로 혹은 영화로 제작하고 싶은 꿈이 있었다. 그러나 그 작업은 어느 누구나가 할 수 있는 일은 아니었다. 일단《태백산맥》은 총 10권으로 이루어진 대하소설이다. 그리고 무엇보다도 판매금지 처분에 관한 법정 공방이 이어질 정도로 사상과 이념대립이 첨예한 문학작품이었다. 엄두가 나지 않았다. 더군다나 작품의 완성도나 우수함을 훼손하지 않아야 했다. 잘해야 본전이라는 말도 있었다. 수십 명의 등장인물에 대한 개성을 두 시간 남짓 영화에 스며들게 하기에는 벅차 보였다. 역시 임권택 감독 말고는 없었다.

임권택 감독은 지금까지 백여 편의 작품을 연출한 한국영화의 산증인이다. 작품 개수만이 아니라 작품의 완성도에서 이미 국제영화제에서 다수의 수상을 하였고 국내외에서 거장의 지위를 이미 획득하였다. 전라도 판소리를 담아내서 당시 한국관객 최다 인원을 동원했던 〈서편제〉와 역시 흥행에서 대단한 성공을 이룬 〈장군의 아들〉 이후에 그가 어떤 작품을 선택할 것인가도 귀추가 주목되는 시기였다. 그가 태백산맥을 선택하자 어느 누가 딴지를 걸지 못했다. 촬영은 정일성 감독이 맡았고 대표적인 인물 캐스팅은 안성기, 김명곤, 김갑수, 오정해 등 소설 속의 캐릭터와 유사한 이미지를 갖고 있는 배우들로 라인업이 꾸려졌다. 이제는 과연 시대의 큰 벽화인 태백산맥을 어떻게 스크린에 투영 할 것인가가 과제로 남겨져 있었다.

좌익, 우익 혹은 진보와 보수사이에 소설《태백산맥》은 항상 치열한 논쟁의 소재거리였다. 그도 그럴 것이 소설 속에 그려진 내용의 진위나 역사적 사실에 대한 판단은 곧바로 양 진영의 존망에 귀결될 수 있었고 도덕적 명분과 역사의 승리를 어느 누가 쥐고 있느냐의 싸움이었다.

무엇이 논쟁점이 되었는가?《태백산맥》은 해방 후 여순반란 사건을 중심에 두고 호남의 벌교지방에서 다양한 군상들이 펼쳐내는 이야기를 담고 있다. 반란사건의 주동자인 좌익세력과 그 추종세력이 한편이고 중도적인 입장에서 민간인의 희생을 줄이고자 애쓴 중간자적인 입장, 그리고 반란사건을 토벌하기 위해 나선 우익세력으로 구성된다. 당시 문학평론가인 권영민 교수는《태백산맥 다시읽기》라는 책에서 이같이 평가했다.

소설《태백산맥》은 우리들에게 하나의 충격이다. 민족 분단의 상황 속에서 이념의 요구에 의해 은폐될 수밖에 없었던 역사의 한 장면이, 방대한 규모의 소설적 형식을 통해 비로소 객관화 될수 있게 되었다는 사실이 또한 충격을 던져준다. 중략. 그러나 무엇보다도 충격인 것은 이 같은 방대한 규모의 소설을, 이 같은 문제적인 주제 내용을 이제 우리의 현대문학사가 충분히 감당해 낼 수 있을 정도로 그 관점과 폭이 넓어지고 있다는 사실이다.

권영민 교수는 일단 충격이라 하였고 우리 사회가 조금은 열린사회로 가고 있다는 것에 희망을 걸었다. 그러나 문학계에선 관점의 폭이 넓어졌는지 모르지만 우리 사회는 여전히 닫힌 사회였다. 중앙일보에 나온 기사 내용이다.

대검은 10일 조정래 씨의 장편소설 〔태백산맥〕이 민중 봉기를 미화하는 등 이적성이 있다고 판단, 운동권 학생이나 노동자들이 이 소설을 의식화 학습 도서자료로 사용할 경우 국가보안법상 이적표현물 탐독 등 혐의로 사법처리하기로 했다. (중략) 검찰 관계자는 이 소설의 후반부로 갈수록 좌경색채가 농후해진다는 분석에 따라 사회주의 사상을 담은 일반서적과 마찬가지로 탐독의도에 따라 처벌여부를 결정하기로 했다고 말했다.

실로 소설 같은 일이 벌어진 것이다. 탐독 의도는 무엇으로 알수 있단 말인가? 사람의 마음까지 들여다 볼수 있다는건지 코미디같은 일이 벌어졌다.

이 정도로 당시 《태백산맥》의 인기와 비례한 논쟁은 대한민국 전역의 문제가 되었고 관심사가 되고 말았다. 단지 소설책 하나가 온 나라를 들쑤셔 놨다.

영화로 만들어진다고 했을 때 우익들의 반발은 더욱 거셌다. 책이야 그렇다 치더라도 보다 더 많은 대중적 감성과 접점을 가지고 있는 매체인 영화로 만들어 진다면 이른바 좌익 빨갱이 사상이 어린 청소년부터 일반 대중에 까지 퍼져 나가리라는 게 보수들의 반대 논리였다.

우여곡절 끝에 영화는 제작되고 상영됐다. 때는 해방이후. 미소공위가 결국 결렬되고 유엔에서 결의한 선거 가능한 지역에서 먼저 투표를 시행하여 대한민국 정부 수립이라도 먼저 이루고자 하는 미군정과 이승만 세력이 정국을 주도 하고 있었던 시점부터다.

영화의 첫 장면 자막은 이렇게 시작된다.

> "미,소의 냉전구조는 한국 민족내부의 이기적 갈등을 조장했고 두 개의 정부로 갈라선 남과 북은 적대의 이빨을 들이댄 채 서로 다른 이념의 골짜기를 가고 있었다."

민족 내부의 이기적 갈등이란 무엇인가? 바로 토지소유에 관한 문제이다. 당시 한국민의 8할이 농사를 짓는 사람들이었고 이념이나 사상보다는 먹고살기 위한 생존의 문제, 즉 땅의 소유문제를 어떻게 할 것인가가 그들의 유일한 관심이자 삶의 조건이었다. 잠시 책으로 돌아가 보자. 작중인물인 안창민이라는 사람의 생각이다. 그는 공산주의자다.

> 오만을 헤아리는 읍민들 중에 구 할이 농민이었고, 그 농민들 중에서 팔할이 넘게 소작인인 그들이 인민위원회에 바라는 것이 무엇인지는 너무나 분명하고 확실하다. 신속한 토지 문제의 해결이었다. 그 요구와 공산주의 혁명과는 한치의 빈틈없이 맞아 떨어졌다.(제1권의 내용 중)

영화의 내용 팔할 역시 토지문제로 빚어지는 갈등과 투쟁으로 짜여 있다. 당시의 민중에게 자기가 농사짓는 땅을 자기가 갖는 건 꿈이자 목표였다. 그것만 충족된다면 그들에겐 좌익이나 우익 어느 것도 상관하지 않았다. 한국전쟁 발발시 남한의 입장에서 천만다행인 건 남한의 토지개혁시행에 관한 법률공포가 6월 25일 이전에 발효된 것이라 할 수 있다. 남한 농민들의 기대에는 미치지 못했지만 유상매수, 유상분배라는 형태로 어느 정도 소작인들에게 희망을 안겨줬기 때문이다. 만약 이 시행이 전쟁 전에 발효 되지 않았다면 북한의 선무공작에 대부분의 남한 농민들은 북측 편에 섰을 것이다.

1948년에 한국의 근현대사에 굵직한 사건들이 많았다. 먼저 제주 4.3항쟁이다. 5월 10일로 헌법제정을 위한 국회의원 총선거일이 가까워지자 단독정부를 반대하는 좌익을 중심으로 대규모 시위가 일어난다. 제주에서도 좌익의 선동으로 시위가 벌어지나 정부와 우익단체인 서북청년단 등이 무자비하게 진압한다. 진압 과정에서 무고한 양민이 학살되는 대참극이 빚어진다. 이에 대한 저항으로 제주도민의 봉기가 바로 4.3제주항쟁이다. 이를 진압하기 위해 전라도 지역의 여수, 순천 계엄군이 제주로 급파되는데 여순 지역의 좌익세력이 국군으로 위장 잠입하여 반란을 일으킨다. 바로 이런 혼란스러운 배경을 뒤로 하고 전라도 벌교 지방에서 〈태백산맥〉 영화는 시작된다. 반란군은 순천을 점령하고 벌교까지 들어온다. 벌교로 들어온 반란군의 모습은 그래서 모두 국방군의 군복을 입고 있다. 이들이 벌교에 들어와 맨 먼저 한일은 소위 악질지주의 처형과 무상몰수 무상분배를 내용으로 하는 토지개혁 주장이었다. 이 주장을 통해 농민을 공산주의의 편에 서도록 하는 작업이었다. 그러나 이내 국군의 진압군이 순천을 탈환하고 이들은 지리산으로 퇴각한다. 일명 지리산 빨치산은 이렇게 생겨난 것이다. 여기에 대표적인 두 명의 인물이 맞부딪힌다. 빨치산의 대장인 염상진과 우익청년단장인 염상구. 형제이지만 생각도 생김새도 전혀 다른 인물이다. 이들이 빚어내는 파열과 마찰은 각 진영을 대표하는 역할답게 시종일관 계속된다. 여기에 지식인이면서 어느 쪽 편에 서길 거부하는 김범우. 이렇게 세 사람이 태백산맥의 중심 뼈대를 이루어 낸다.

소설 《태백산맥》이 메마른 이념의 전쟁과 충돌만 있는 건 아니다. 당시 민초들의 삶과 애환, 전라도 농민이 갖고 있는 한과 정서를 문학적으로 성취해낸다. 또한 진고름 같은 전라도 사투리에 투박한 남녀 간의 애정묘사도 결코 빠지지 않는다. 염상구와 외서댁의 살냄새 나는 정분은 당시 '벌교 꼬막같은 맛'이란 곱살스런 표현으로 당시 대학생들 사이에 회자되기도 했다.

당시에 또 하나 빼놓을 수 없는 가슴 아픈 사건은 바로 보도연맹에서 빚어진 비극이다. 보도연맹은 한때 좌익활동을 했다가 전향한 사람들로 구성된 단체로 남한 정부가 강제로 만든 조직이다. 여기에는 잠시 좌익활동을 했거나 피치 못한 사정으로 공산주의자들 편에 섰던 애매한 사람들도 상당수 존재하였다. 이들은 관제데모를 통해 자신의 과오를 반성하고 공산주의자들을 박멸하자는 구호를 외치고 다녔다. 그러나 이들 대부분은 한국전쟁 발발 시 국군이 후퇴하면서 사살하고 만다. 북한 공산당이 왔을 시 동조할 수 있다는 잠재적 위험에 대한 추측만으로 수많은 죄없는 목숨을 앗아갔던 것이다. 무엇보다도 아픈 사실은 당시 벌교 등 지리산에 인접한 마을은 남한 측과 북측의 점령이 하루가 다르게 주인이 바뀔 정도로 빈번한 손바뀜이 있었다. 해서 낮에는 대한민국 만세를 외치다가 밤이 되어 빨치산의 세상이 되면 조선민주주의 인민공화국의 인민재판에서 자아비판을 해야만 했다. 그러나 보니 이웃 주민들끼리 고자질을 하게 되어 허물없는 이웃끼리 원수지간을 만들어 버린다. 이것이 어찌 보면 어떤 사실보다 더 비극적인지 모른다. 이웃을 믿지 못하고 고발하고 총칼을 겨누게 되는 것, 바로 한국동란의 예고된 전조였는지 모른다.

격동의 1948년이 지나고 1949년 새해 들어 역사적인 반민특위가 발족된다. 이승만 정부는 점차 안정을 찾아갔고 여순반란의 주역인 남로당 전남도당은 진압군에 의해 거의 궤멸상태에 이른다. 계엄사령부가 벌교에 주둔하게 되고 그 책임자로 심재우 중위가 부임한다. 심재우 역시 눈여겨볼만한 인물이다. 군인답지 않게 차분한 성격과 태도로 합리적인 업무를 진행하면서 김범우와 가깝게 지낸다. 비록 보수의 입장이긴 하지만 공평무사한 업무처리로 주민들의 신뢰를 얻어간다. 지금부터는 땅의 전쟁이 벌어진다. 지주와 소작인의 갈등은 바로 식민지 현실에서 빚어진 친일 지주와 수탈당하는 농민 사이의 불가피하고 예정된 수순이었다.

그해 6월에는 김구가 암살당한다. 민족주의 우파는 지도자를 잃게 된다. 영화에선 김범우(안성기)와 여맹활동을 폈던 이지숙 선생간의 계급과 민족의 설전이 보여진다. 김범우는 사실상 태백산맥의 주인공이다. 정치적 성향은 민족주의 우파정도 된다. 어찌 보면 회색의 나약한 지식인의 모습을 띄기도 한다. 그는 시종일관 민족의 단결과 통합을 주장한다. 남쪽과 북쪽이 힘을 합쳐 외세에 대항하고 우리 민족끼리 살 방향을 모색 하자고 한다. 이지숙은 이런 김범우에게 일침을 놓는다. 이제는 민족이냐 계급이냐를 선택하라고 다그친다. 어설픈 민족적 감상주의에 빠지지 말고 역사의 대세인 노동자, 농민 등 민중을 위한 당을 건설하여 사회주의 혁명을 완수하자고 한다. 김범우는 이런 이지숙에게 아무 말 하지 않는다. 아직 그도 역시 어떤 게 정답인지 알 수는 없었다.

농지개혁에 대한 농민의 시각도 영화 속의 대사에서 드러난다.

"평생 소원이 내 땅 내 논마지기에서 농사 짓는 거였구만 이라. 헌데 북쪽에서는 지주들 땅 다 무상으로 몰수해다가 다 무상으로 소작인들에게 나눠준다고 합디다. 참말 일까라?"

"그렇다고 칩시다. 헌데 농사를 짓고 수확한 쌀을 다 배급한다고 하면 어떨까요?"

"아이고 그럼 뭐라고 쎄빠지게 농사짓는다요. 내가 농삿일해서 내가 벌어먹는 재민데..."

공산당의 무상몰수 무상분배 주장의 허구성을 김범우가 지적한 것이다, 어차피 무상으로 나눠준들 다시 공동소유의 이름으로 다 거둬 들일 것이 뻔하기 때문이다.

1949년 겨울, 대대적인 빨치산 동계 토벌 작전이 감행된다. 지리산의 빨치산들은 대개 얼어 죽거나 동상에 걸려 악전고투 중이었다. 거의 90%의 빨치산 조직이 궤멸 되었다. 1950년 4월 6일 드디어 남한에서 토지개혁 시행령이 실시되면서 유상몰수 유상분배가 이루어진다. 한국전쟁이 터지기 한 달 전이었다. 이 법안의 시행으로 긴가민가했던 남한 농민의 대다수가 대한민국을 지지하게 되었고 공산당에 대한 민심이 급속도로 식어갔다.

〈태백산맥〉에 등장하는 인물들에 대해 간략히 살펴보자. 전체적인 흐름은 김범우와 염상진이 끌고 간다. 염상진은 광주사범학교를 나온 엘리트이지만 소부르주아적인 삶인 교직을 버리고 공산혁명

운동에 투신한다. 기득권이자 지배계층으로 편입할 수 있었지만 이를 과감히 버리고 소작투쟁을 시작으로 해방 후에 벌교지역 좌익세력의 주도적 위치에 서지만, 진압군에 의해 지리산으로 들어간다. 빨치산들은 한국전쟁이 터졌다는 소식조차 듣지 못한 채 농가에 내려가 먹을 것을 구하던 차 농민에게서 전쟁 소식을 듣게 된다. 드디어 우리 세상이 왔구나 하고 환호하지만 북에서 내려온 '인민해방군'은 그들을 무시한다. 목숨을 걸고 혁명투쟁을 했건만 사상적 검증이 필요하다는 질책을 듣고 염상진은 처음으로 혁명에 회의한다. 염상진의 동생 염상구는 전형적인 우익 행동대장이다. 어려서부터 형 염상진에 대해 질투와 원망으로 살아 콤플렉스가 있다. 인민군이 벌교를 점령했을 때 숨어 지내던 염상구를 형 염상진이 탈출을 방조한다. 오히려 가져가라며 총까지 건넨다. 철천지 원수였던 형과 아우지만 그 앞에 피를 나눈 형제라는 사실, 그리고 피는 물보다 아니 이념보다 더 진하다는 걸 감독은 우회적으로나마 표현하고 싶었을 것이다. 소설의 마지막 장면에서 염상구는 형 염상진의 처참한 주검을 보고 염상진의 시신을 손수 거둔다. '살아서나 빨갱이제, 죽어서도 빨갱이여'하며 눈물을 훔친다.

김범우는 작가의 분신 같은 인물이다. 조정래 작가 역시 실천적인 지식인의 모습이라기 보다는 주로 글을 통해 1980년대 군부독재치하에서 자신의 말을 해나갔다. 투쟁의 전면에 섰던 전위부대 지식인이 보기에는 다소 실망스러울 수도 있다. 그러나 작가는 김범우 같은 인물을 매개로 끊임없이 하나의 길을 모색한다. 좌도 우도 아닌 새로운 통합은 결국 민족주의로 귀결한다. 우리의 운명은 우리의 손으로 결정코자 하는 주체적 입장에 서는 인물인 김범우는 작가의 신념이 투사되는 전형적인 인물이 된다. 소설과 영화에서 김범우는 다소 다른 차이의 행로를 걷는다. 소설의 김범우는 한국전쟁 이후 강제로 미군의 통역관으로 일하다가 미군의 비인간적인 행태에 실망을 느껴 인민군에 자원입대한다. 나중에 포로수용소까지 가게 된다. 그러나 영화는 인천상륙작전에서 서두르듯 끝맺는다. 김범우의 좌익활동 등에 대한 언급은 당연히 없다. 어찌 보면 임권택 감독 역시 김범우의 좌익활동에 부담을 느꼈는지 모른다.

송능한 영화 각색가도 김범우를 좌우를 아우르는 고민하는 지식인 정도로 표현했다. 대중매체인 영화라는 점을 감안한 자기검열일 수도 있다. 조금 다르게 보자면 임권택 감독의 전반적 작품에 스며있는 인본주의적 관점에서 〈태백산맥〉은 재해석되었다고 볼 수 있다. 임감독의 작품 경향을 한마디로 얘기하자면 한국적 휴머니즘의 발현이라 볼 수 있다. 영화 〈만다라〉만 보더라도 그가 추구하는 인간의 세계란 바로 조화로운 우주관이다. 결국 영화 〈태백산맥〉은 이념을 탈색하고 인간성을 회복코자 하는 임권택 감독의 작가적 견지에서 본 또 다른 결과물이다.

근현대사

〈태극기 휘날리며〉

지금도 계속되는 분단의 역사

대한민국 현대사에서 가장 비극적인 사건은 동족상잔의 한국전쟁이다. 민간인 사상자만 100만 명의 희생을 치른 내전이자 강대국의 대리전이기도 했다. 한국전쟁은 한때 6.25사변으로 불려지기도 했다. 북한의 남침일이 6월 25일이어서 그리 된거라 치면, 사변이란 단어는 참 애매모호한 작명이다. 을미사변도 사변 아닌가? 북한은 아에 민족해방전쟁이라 칭한다. 미제에 억압된 한반도 민중들을 해방 시키기 위한 전쟁으로 그리 명명한 것이다. 아직은 이 전쟁에 관한 가장 객관성을 담보한 이름은 '한국전쟁'이다. 가치판단을 유보한 이름이 역사적 가치를 연구하는 첫 번째 순서이기 때문이다.

해방 후 한반도는 남북분단으로 이어졌고 북한의 김일성은 소련의 전투력을 발판으로 1950년 6월 25일 기습 남침을 감행한다. 국지전이 아닌 전면전이었고 북한의 치밀한 준비로 시작된 민족의 비극적 전쟁이었다. 사실 최근까지 한국전쟁 개전에 대한 책임을 두고 여러 주장이 있어 왔다.

첫째는 북한의 남침설, 둘째는 남한의 북침설, 셋째는 남한의 남침유도설이 그것인데 미국이 전쟁 발발 1년 전에 미군을 한반도에서 철수했다는 것과, 남한이 사회, 정치 불안이 심화되자 전쟁을 통해 남한의 정부를 강화시키고자 했다는 이유로 세 번째 주장이 좌파를 중심으로 꽤 설득력 있게 퍼져갔다. 그러나 이는 일면만을 바라본 주장이다. 그렇다면 미군은 왜 한국에서 철수했을까? 여러 이유가 있겠지만 더 이상 미군이 한반도에 주둔할 명분이 없다는 것이다. 미군의 주둔 목적은 일본군의 무장을 해제하고 신탁통치를 실시할 바탕을 만든다는 거였으나 남한에서 단독정부가 선 마당에 더 이상 머무를 대외 명분이 사라진 것이다.

또 하나 남한은 전쟁을 일으킬 만큼 불안한 정부를 가지고 있었나? 물론 정부수립 초기에는 여순반란사건 등 크고 작은 내홍을 겪은 건 사실이다. 그러나 한국전쟁 발발당시에는 오히려 안정기에 접어들었다. 군대내 공산주의자 색출도 마무리 되었고 경제위기도 점차 수그러 들기 시작했다는 게 여러 경제 지표를 통해서 확인되었다. 즉 남한의 남침유도설은 허구라는 게 지금까지의 연구 결과이다. 그동안 한국전쟁에 대한 역사적 해석과 논쟁은 쉼없이 이어져 왔다. 시카고대학의 브루스커밍스 교수는 저서《한국전쟁의 기원》에서 좌파 진영이 주장하는 내재론적 남침유도설로 한국전쟁 시작을 해석하기도 했고 일부 극좌파에선 북침주장도 있어 한때 사회적 파장을 일으키기도 했다. 그러나 북한의 사전 계획에 의한 남침이 여러 역사적 자료와 증언으로 정설로 자리 잡게 되었고 더 이상의 소모적 논쟁에 종지부를 찍었다.

한국전을 다뤘던 영화들은 많다. 그러나 영화 〈태극기 휘날리며〉

는 영상과 기술의 수준이 다른 기존의 한국전쟁을 배경으로 한 영화들과는 한 차원 다르다. 〈은행나무 침대〉 〈쉬리〉의 강제규 감독이 메가폰을 잡았고 쇼박스가 제작한 이른바 한국형 블록버스터다. 일단 음향 시각적 효과면에서 한국전쟁을 실감나게 담아 낼 수 있는 여건은 된 셈이다.

강제규 감독의 고심은 아직도 우리 현대사에 절대적 영향을 미치고 있는 민족적 사건인 6.25를 어떤 시각으로 어떻게 담아낼 것인가였다. 강감독은 사상적 스펙트럼이나 이념적 잣대보다 우선한 휴머니즘이란 도구를 사용해 영화를 조각해 나갔다. 꽃미남 배우인 장동건과 원빈을 투톱으로 하여 형제애를 전면에 깔고 이를 통한 남북의 아픔과 화해를 모색코자 한 것이다.

1950년 6월, 전쟁 직전의 시기에 영화는 시작된다. 종로에서 어렵게 살고 있는 한 가족. 진태(장동건)와 진석(원빈)은 생활은 힘들지만 열심히 살아가는 우애 좋은 형제다. 진태에겐 사랑하는 약혼자도 있고 모셔야 할 어머니도 있다. 구두통을 짊어지는 진태지만 동생 진석의 뒷바라지를 하고 있는 것에 보람을 느끼며 살고 있다. 평화로운 서울에 거친 사이렌 소리가 들리기 시작한 순간 평화로운 일상은 해체된다. 대구역에서 징집된 동생 진석을 위해 형 진태는 동생의 징집 해제를 위해 대대장을 만나 직접 전장에 뛰어든다. 오직 동생의 목숨을 구하는 게 형이 갖고 가야할 가장 큰 의무라 생각한다. 전쟁의 아수라장에서 동생을 구출하려는 모습은 스필버그 감독의 〈라이언 일병 구하기〉 보다 더 애잔하고 먹먹하다. "너 공부 시키려고 학교 관두고 구두통 메고 다녀도 한 번도 후회 한적 없어. 어머닌 시장 통에서 허리 한번 못 펴고 국수 팔아도 너 땜에 힘든 줄 모르고 살아"라고 말한다.

결국 진태는 북한 인민군의 포로가 되고 다시 인민군의 복장으로 전투에 나가게 된다. 인민군과 국군의 백병전속에서 얄궂게도 형과 아우는 서로가 적군의 입장에서 눈물로 조우하게 된다. 형 진태는 전투 중에 큰 부상을 당하고 정신을 잃게 된다.

"형 우리 지금 가야돼. 어서 일어나. 제발 좀. 엄마한테 가야될 거 아니야, 누나 산소도 가야지. 나 대학가야 하는 것도 봐야 될 거 아니야."

형 진태는 가까스로 입을 떼고 말한다.

"형 니 구두 만들기 전에 안 죽어. 너부터 가"

그러면서 품속에서 만년필 하날 꺼낸다. 동생 진석은 다시 만나서 그때 달라고 말한다. 그리고 "꼭 돌아와야 해"라는 말을 끝으로 떨어지지 않는 발걸음을 떼며 후퇴한다. 진태는 인민군 장교 옷을 입고 있지만 다시 총구를 인민군에게 돌려 사격을 가한다. 동생의 안전한 후퇴가 형에겐 지금 무엇보다 더 중요하다. 전쟁의 승자도 전투의 승리도 안중에 없다. 형은 그저 동생이 무사하길 바라면서 따발총의 총구를 밀려오는 인민군에게 향하고 있는 것이다. 누구를 위한 전쟁인지 무엇 때문에 하는지도 모르지만 그저 내 가족만을 지키겠다는 일념 하나다. 결국 진태는 그 자리에서 죽고 만다.

50년 후 진석은 형이 자신을 엄호해 주다가 전사한 그 자리에서 형의 유골과 만나게 된다. 유품으로 발굴된 만년필도 만지작거린다. 마치 〈타이타닉〉의 첫 장면에서 옛 애인을 회상하는 할머니의 모습과 오버랩이 되는 장면이다. 그러나 〈타이타닉〉의 전설적이고 이국적인 이야기와는 다르게 직접적으로 맞닿아 있는 우리네 이야기이기에 더욱 누선을 자극한다. 이제 노인이 된 진석은 만년필을 왜 형이 직접 주지 않았냐며 뚝뚝 눈물을 흘린다. 그때 같이 내려왔어야 하는데 하는 한 많은 후회도 토로한다. 많은 관객의 눈시울을 붉게 만든 장면이자 우리 역사만이 만들어 낼 수 있는 비극적 드라마의 모습이다. 이념이나 사상과는 상관없이 오직 동생의 안위만을 살피는 형 진태의 모습은 어찌 보면 그 시대를 힘들게 살아왔던 우리 아버지들의 모습일지 모른다. 거칠게 흘러가는 한국의 근현대사의 흐름에서 살아있고, 밥한 술 뜨기 위해선 그저 눈앞의 암초만을 피해가야만 했던 세대들의 아픔인 것이다.

러시아는 공산주의 혁명을 1920년대 완수해 낸다. 이후 세계 적화야욕이라는 목표를 설정하고 한반도를 그 첫 번째 타깃으로 삼는다. 2차 세계대전 끝무렵, 뒤늦게 뛰어든 소련은 연합국의 일원으로 한반도 해방무드에 편승한다. 미국은 소련에게 한반도 북쪽의 일본을 진압해줄 것을 요구한다. 그런데 미국의 예상과 다르게 소련은 빠른 속도로 일본을 패퇴시키면서 한반도 남쪽으로 내려오기 시작한다. 이에 당황한 미국은 38도 선을 긋고 더 이상의 남하를 허락하지 않는다. 자연스럽게 38선이 그어져 버린 것이다. 이후 미소간의 한반도 임시정부 논의는 소강상태로 들어서고 UN의 선거 가능한 지역에서의 정부수립이라는 정책과 남한 내의 독자정부 수립론이 나오면서 결국 어느 누구도 원치 않았고 설마설마 했던 분단이 현실이 되고 만다.

북한과 남한에 각자의 정부가 들어선다. 남한은 1948년 8월 15일 대한민국 정부가 수립되고 초대 대통령에 이승만 그리고 부통령에 이시영이 당선된다. 대한민국은 대통령 중심제 국가로 시작한다. 북한 역시 조선민주주의 인민공화국을 남한의 정부수립을 기다렸다는 듯이 9월 9일 수립한다. 돌이킬 수 없는 분단국가가 고착된 것이다. 전쟁은 이미 이 순간에 예고되어 있었는지 모른다. 북은 민족해방전쟁을 수시로 부르짖었고 남한은 북진통일을 이야기 했다. 전면전을 준비한건 북한이었다. 이후 김일성과 소련은 남침준비를 차근차근 진행한다. 1949년 미군은 한반도에서 전면 철수하였고 미국 국무부의 에치슨 선언도 남침의 호조건으로 판단하게 하였다. 전쟁이 시작한 지 단 3일 만에 대한민국의 수도 서울은 떨어진다. 당시 이승만 정부는 방송을 통해 절대 서울을 사수한다고 호언한다. 그러나 이승만 정부는 서울의 한강철교를 폭발시켜 수많은 피난민의 목숨을 앗아가게 만들었고 가장 먼저 서울을 버리고 도망간다. 임진란 때의 선조의 모습이 겹쳐 떠오르는 건 어쩔 수 없다. 한양을 버리고 의주로 도망간 선조와 국민들에게 서울을 절대 사수하겠다고 하고선 한강철교를 폭발시키고 후퇴한 이승만 정부는 무엇이 다른가. 조선의 당시 분노한 백성들은 경복궁을 불태워 버린다. 백성을 버리고 도망간 왕 따위는 필요치 않다는 표현이다. 그러나 이승만 대통령은 전쟁이 끝난 후 종신임기의 대통령이 되고자 한다.

전쟁이 터지자 후퇴를 거듭하는 국군은 이제 낙동강이 마지노선이 되 버렸다. 당초 전쟁에 개입하지 않을 거라는 북한의 예상을 깨고 미국을 포함한 16개국 UN연합군이 한국전에 참전하게 된다. 부산마저 함락되면 전쟁은 북한의 적화로 끝나야 될 절대 절명의 시기에 맥아더 연합군 총 사령관은 신의 한수를 보여준다. 바로 인천상륙작전이 그것이다. 조수간만의 차가 커 전쟁 군사전략 참모들이 모두 반대했지만 맥아더는 이 계획을 몰아 부친다. 결국 인천상륙작전의 대성공으로 북한은 당황하게 된다. 일거에 연합군과 국군은 북한군을 압록강너머까지 밀고 올라간다. 국군은 압록강 물을 수통에 담아 이승만대통령에게 전달하기도 한다. 그러나 중공군의 참전이 본격 시작된다. 이제 전쟁은 강대국들의 대리전 양상이 돼 버렸다. 자칫하면 3차 세계대전으로 확전될 수도 있었다. 맥아더는 중공군의 참전을 예상하고 트루만 대통령에게 압록강 너머에 원자탄 투하를 건의한다. 트루만은 세계대전만은 피하고 싶어 이를 반대한다. 결국 국군과 유엔군은 중공군에게 밀려 남쪽으로 패퇴한다. 1951년 1.4후퇴가 그것이며 흥남부두의 장진함 대철수가 이로 인한 사건이다. 이후 양측은 38선을 사이에 두고 일진일퇴를 거듭한다. 고지의 주인이 하루에 일곱 번 이나 바뀔 정도로 치열한 교전이었다. 아까운 젊은 목숨을 앗아가는 와중에도 휴전협정은 지루하게 진행되었다.

전선이 이동함에 따라 낮에는 인민군가를 밤에는 대한민국 만세를 부르는 일이 비일비재 하였다. 전쟁이 장기화 되면서 젊은이라면 누구나 전장으로 나가야하는 일 또한 일상화 되었다.

전쟁의 와중에 이승만 정권은 자신의 권력연장을 위해 헌법개정을 불법으로 자행한다. 이승만은 당시 국회의원들이 대통령을 뽑는 간선제 방식으로는 2대 대통령에 연임할 수 없음을 알고 국민이 직접 대통령을 뽑는 직선제 개정안을 국회에 제출한다. 이 과정에서 국회의원 일부를 공산주의로 몰아 정적을 탄압하고 강제로 개헌안을 통과시켜 버린다. 임시수도였던 부산에서 벌어진 일이다. 결국 이승만은 대한민국 2대 대통령으로 취임한다.

38선을 경계로 남북의 많은 젊은이들이 목숨을 잃어가고 있었지만 휴전협정은 쉽사리 합의를 보지 못했다. 바로 포로송환문제가 걸림돌이었다. 북한 측은 제네바 협정을 들어 양측포로의 무조건적 송환을 주장하였고 유엔군 측은 포로의 자유의사, 즉 포로가 가고 싶은 국가로 가게끔 하자는 주장의 차이를 좁히지 못하고 있었다. 이 역시 설득력 있는 주장인 게 인민군이나 국군 중에 자신의 의사에 반하여 징집된 사람이 많았기 때문이다. 영화 속 진태 역시 인민군에 게 끌려간 것이지 자신의 의사로 선택한 건 아니었다. 결국 포로의 자유의사에 따른 송환에 합의하였고 1953년 지루했던 휴전협상 테이블의 정전협정에 양측은 서명을 하게 된다. 이후 90일 이내에 정전협정에서 평화협정으로 갈건지의 여부를 결정하기로 하였으나 성과 없이 끝나고 만다. 아직도 우리는 정전, 즉 전쟁이 중단된 상태이지 완결된 상태가 아닌 곳에서 살고 있는 것이다. 하루 빨리 정전협정에서 평화협정을 맺어야 하는 이유가 여기에 있다. 북한 역시 전쟁이 끝난 후 정세판단의 오류와 정권전복 음모를 꾀했다는 구실로 박헌영 등 많은 정적들을 숙청하고 김일성 유일의 주체사상을 확립해 나간다.

한국전쟁은 그래서 현재적 의미이며 진행형이다. 그리고 우리 민족의 미래가 남한과 북한이 어떻게 평화공동체의 지평 안으로 들어올 것이냐 하는 문제로 바라봐야 한다. 통일 역시 이런 관점에서 봐야 한다. 몇 년 전 사진작가 열 명을 모시고 휴전선 155마일 답사를 다녀 온 적이 있다. 밤마다 통일에 대한 열띤 토론이 이어졌다. 통일에 대한 당위성의 이유도 제각각이었다. 경제적 이익으로 본 통일은 어찌 보면 지금의 우리에게 더 절실할지도 모른다. 감상적 민족의 재통일도 의미 있지만 치열해지는 국제 사회에서 아마도 마지막 남아 있는 기회의 땅, 엘도라도의 땅이 북한이 될지도 모른다. 지극히 현실적인 이유에서라도 이제 통일의 깃발을 더 높이 들어 구체적인 접근으로 한 발 한 발 내딛고 가야할 책임이 그래서 우리에게 놓여 있다.

근현대사

〈화려한 휴가〉

시대의 어둠을 넘어 민족의 십자가를 지며

1980년 5월, 광주에 사태가 일어났다. 그 이후로 오랫동안 광주사태로 불려졌다. 산사태도 눈사태도 아닌 게 분명한데 광주는 그냥 사태라는 애매모호한 명사와 더불어 쓰여졌다. 남도에서 일어난 이 비극이 2007년, 27년 후에 영화로 드디어 만들어져 일반 관객에게 공개되었지만 신선미를 잃은 활어처럼 하나의 객관화되고 대상화되어진 영화작품으로만 내게 다가왔다. 모든 건 때가 있는 법이다. 분노할 때와 응징할 때를 이미 넘어버린 광주는 이제 역사적 자취로만 남아 버린 것일까?

'광주사태'가 일어나고 몇 년이 지나 서울에 올라와 대학을 다니고 있을 무렵이었다. 누가 볼새라 몰래 자취방에서 천주교에서 출판했던 광주의 참상을 담은 사진집을 본 나는 못볼 걸 보고만 기분이었다. '광주사태' 당시에는 광주 인근의 도시 목포에서 학교를 다니고 있었고 사태의 여파로 일주일간 휴교령이 내려져 학교를 가지 않았던 기억을 갖고 있다. 물론 당시에는 목포도 이른바 치안부재의 '해방구'였다. 그런 사전 충격 완화의 기억을 가지고 있었음에도 막상 사진들을 보곤 심한 구토를 참을 수 없었다. 이제는 돌비 서라운드 입체음향에 선명한 화질의 스크린 앞에서 당시를 목도하고 있음에도 불구하고 그때 만큼의 충격은 오지 않았다. 무뎌진 걸까 아니면 광주도 이제 남대문 같은 역사유적이 되버린 걸까.

영화가 끝난 후 젊은 학생들은 이게 픽션이 아니냐고, 실제로 이런 일이 문명화된 나라에서 일어날 수 있느냐고 의아해 했다. 조선왕조도 아니고 민주주의를 표방하는 나라에서 군인이 민간인을 총으로 학살하는 사건이 1980년대라는 시간적 공간에서 일어났다는 게 도무지 믿기지 않는듯하다.

1979년 18년 철권통치를 이어가던 박정희는 그의 심복인 중앙정보부장 김재규에 의해 피살되고 만다. 박정희 시해사건의 모든 수사권을 쥐게 된 당시 합동수사본부장 전두환. 그의 수사발표 인터뷰는 공중파 뉴스에서 모두 첫머리로 다뤄졌다. 그를 위시한 이른바 신군부는 그해 12월 12일에 정승화 육군참모총장을 공관에서 강제로 체포한다. 신군부와 육참 경호부대간의 총격전이 있었고 인근의 주민들은 무슨 전쟁이라도 난 게 아닌가 파출소에 문의전화가 쇄도했다고 한다. 결국 신군부는 자신의 권력찬탈에 방해되는 요소를 하나하나 제거하기 시작한다. 12.12의 목표는 명확했다. 전두환을 대통령의 권좌에 앉게 하는 것이었다. 그리고 새해가 밝았다. 이른바 서울의 봄. 정치해금으로 꽁꽁 묶여 있었던 3김들이 다시 정치 활동을 재개하기 시작한다. 김영삼, 김대중, 김종필의 행보는 점점 빨라졌다. 민주단체와 조직들은 이합집산, 합종연횡하였고 최규하 정부에게는 정치일정을 명확히 하고 빠른 개혁들을 주문했다. 헌데 어찌된 일인지 최규하는 미적거리기만 하고 있었다.

5월 17일 정승화에서 이희성으로 바뀐 계엄사령부는 제주도까지 확대하는 계엄령을 선포한다. 전국이 들끓기 시작했다. 서울의 봄은 일장춘몽이었고 민주화를 기대하는 많은 국민들은 충격에 빠지게 된다.

영화 〈화려한 휴가〉는 아래와 같은 자막으로 시작한다.

"1979년 10월26일을 계기로 유신 독재가 끝나고 억눌렸던 국민들은 민주화의 '봄'이 올 것을 열망 하였으나 ,신군부 세력은 12,12 쿠데타를 통해 권력을 장악한다.

80년 봄, 전국적으로 민주화의 요구가 거세어지자 '비상계엄령 전국 확대'를 선포하고 전국의 주요도시 및 대학에 계엄군을 주둔시킨다."

영화 〈화려한 휴가〉의 첫 장면은 평화로운 가로수길을 운전하는 택시기사 민우(김상경 분)로부터 시작한다. 말 잘 듣고 공부 잘하는 동생 진우(이준기 분)와 부모를 일찍 여의였지만 나름 행복하게 살고 있다. 민우는 성당에서 만난 간호사 신애(이요원 분)를 사랑하게 된다. 그녀와 벼르고 벼르던 첫 번째 데이트. 고심 끝에 고른 영화는 이주일 주연의 '못생겨서 죄송합니다'였다. 영화 상영이 한창일 때 일단의 청년들이 극장안을 들어오면서 이들의 평화는 일순간에 깨지고 만다. 이어 들이닥친 공수부대원들은 닥치는 대로 연행하고 때

리며 무차별 진압을 하였다. 학생같이 보이거나 나이가 젊으면 무조건 연행하여 끌고 갔다. 이들은 먼저 바지와 웃옷을 벗기고 속옷바람으로 트럭에 올려졌고 어디론가 떠나갔다. 광주에 대한 진상규명이 완료된 후 사망자는 207명, 부상 2,392명이고 기타희생자가 987명으로 집계되었는데 이 역시 추정치이며 정확한 집계는 지금까지도 모호한 상태이다. 기타희생자가 주로 행방불명된 자들인데 이때 트럭으로 실고 갔거나 무차별 연행된 사람의 숫자이다. 재야 단체에서는 약 이천여명이 희생되었다고 보고 있다.

〈화려한 휴가〉에서 민우는 이 트럭에서 천신만고 끝에 탈출하게 된다. 동생 진우는 친구가 공수부대의 손에 의해 죽게 되자 데모의 맨 앞에 서게 된다. 계엄사 소속 부대는 광주로 급파된다. 군인들에게는 광주에서 내란이 일어났다고 교육한다. 진압의 수위를 묻는 장병에게 군 지휘관은 "폭도들에게 진압수위가 따로 있겠나"라고 말한다. 피의 살육을 예고하는 장면이고 왜 광주진압 작전명이 '화려한 휴가'인지를 알 수 있는 장면이다. 대부분의 군 장병들은 전쟁이 일어난 줄 알고 있었다. 트럭의 방향이 남쪽으로 향하고 있다는 걸 눈치 채곤 그들 역시 어쩌면 가슴 철렁했을지 모른다. 민우는 신부님에게 대체 이게 무슨 일인지 묻는다. 왜 국군이 무고한 시민을 해치는지 평범한 소시민인 민우로선 이해 할 수가 없었다.

5월 18일 전남대에서 시작된 평화적 시위는 공수특전단의 폭력적이고 야만적인 살상과 진압으로 시위대의 무장을 요구하게 된다.

광주에 투입된 부대만도 3공수특전여단, 7공수특전여단 등 총 47개 대대 소속의 장교 4,727명, 사병 15,590명 등 총 연인원 2만 명의 대한민국 국군이 '화려한 휴가' 작전에 동원되었다. 또한 장비는 대간첩작전에 준하여 각종 탄약을 휴대, 실제로 정부의 발포 허가를 받고 사용되었고 항공기(무장헬기 포함) 30대, 전차 7대, 장갑차 17대 등이 진압작전에 투입되었다. 이 모두가 비무장 세력인 시민과 학생을 진압하기 위한 인원과 장비였다. 또한 그들은 시위진압을 위한 어떠한 원칙도 없었다. 연행되면 일단 군홧발과 몽둥이로 사람을 짓이긴다. 맞고 짓밟힌 사람들은 모두 머리와 코와 입에서 피를 토하지 않는 사람이 없었다. 외국인의 증언에 의하면 한국전쟁 당시에 북한의 인민군도 이런 짓을 저지르지 않았다 한다.

그들은 왜 이렇게 광주시민을 무참하게 진압 학살하였을까? 전두환, 노태우, 정호영, 박준병, 이희성 등의 신군부세력은 민주화 세력이 더 커지기 전에 권력을 잡아야만 했다. 양 김씨를 비롯한 재야 민주세력이 더 시끄럽게 하기 전에 신군부가 짜놓은 일정대로 밀어부쳐야 했다. 전국에 계엄령을 선포하고 첫 번째 타깃이 된 곳이 광주였다. 일종의 본보기였다. 그들이 만만해 보였던 광주. 더구나 가장 과격한 야당지도자로 평가 받았던 김대중의 정치적 본거지이기도 했다. 이곳을 초토화 시켜 자신의 반대세력을 무력화 하고 이를 명분 삼아 정국을 주도 하겠다는 게 이들의 시커먼 복심이었다. 그러나 광주 애국시민과 학생들은 눈앞에 생생히 펼쳐지는 이 말도 안 되는 상황에 그저 넋 놓고 있지는 않았다. 거센 저항이 시작된다. 스스로를 지켜야만 했다.

영화에서는 퇴역한 고위간부 출신 군인인 흥수(안성기 분)를 중심으로 시민군이 결성된다. 무조건 당하고만 있지는 않겠다는 것이다. 사랑하는 가족과 애인이 아무 죄 없이 죽어 나가는데 그냥 있으라는 건 인간임을 포기하라는 것과 같은 의미였다. 무기고를 털고 자체 무장을 한 것은 자기와 가족과 사랑하는 사람을 지키기 위한 마지막 수단이었다. 다른 방법이 있겠는가?

광주는 이후 철저히 고립된다. 방송국의 기능이 마비되고 언론이 막히면서 광주와 다른 도시간의 소통이 차단된다. 광주시민들만이 온전히 신군부의 폭력 앞에 발가벗겨졌다. 민족의 십자가를 대신 진 광주의 한과 아픔은 이곳에서 시작된다. 영화에선 간호사인 신애가 스피커가 달린 지프차를 타고 헌혈호소를 하는 장면이 나온다. 실제로는 한 젊은 여성이 광주 항쟁기간 동안에 용달차에 매달린 스피커를 통해 격렬하면서도 호소력 있게 방송을 하고 다녔다. 주로 내용은 이러했다.

계엄군 아저씨, 당신들은 피도 눈물도 없습니까? 도대체 어느 나라 군대입니까?

경찰 아저씨, 당신들은 우리 편입니다. 제발 우리를 도와주십시오.

도청광장을 조금만 비켜 주면 우리는 평화적으로 시위를 하고 물러나겠습니다.

경찰 아저씨, 최루탄을 쏘지 마십시오. 우리는 맨주먹입니다. 그러나 우리는 꼭 이깁니다.

시민 여러분, 모두 힘을 합칩시다. 끝까지 물러서지 말고 광주를 지킵시다.!

고립되어 타 지역과의 연대가 끊어진 광주시민들은 여인의 목소리에 위안받았다. 계엄군은 이 여자가 고정간첩이라는 설을 퍼뜨렸지만 그저 평범한 32살의 대한민국 국민이었다.

5월 21일 새벽. 도청 앞 금남로에는 무장한 시민군이 도청을 에워 쌓다. 시위 군중들은 광주 KBS와 MBC를 전소한다. 10일간의 광주항쟁 기간 동안에 공공건물의 방화사건은 딱 3건이었다. 방송국 두 곳과 광주세무서. 거짓말만 하는 방송국, 국민이 낸 세금으로 만들어진 국군이 민간인을 학살하는 상황이 광주시민을 분노케 한 결과였다. 그러나 슈퍼나 은행을 터는 일은 벌어지지 않았다. 금남로 광장에는 시민군과 계엄군의 대치가 계속되고 있었다. 그러다 어떤 연유인지 알 수는 없지만 오후 1시 광장 스피커를 통해 애국가 반주곡이 흘러나오자마자 총소리가 터지기 시작한다. 애국가가 사살명령의 신호였을까? 그동안 간헐적이고 산발적인 총격은 있었지만 이렇게 한꺼번에 발포된 시점은 바로 이 시점이다. 이제는 정조준하여 시민을 향해 발사하는 국면으로 전환되었다. 시민군도 응사하기 시작했고 본격적으로 광주는 시가전을 방불케 하는 전투지역이 된다. 이날 오후, 어찌된 영문인지 계엄군이 도청을 버리고 철수하기 시작한다. 영화에서도 나오는 장면이다. 시민군은 환호한다. 승리자가 된 기분을 만끽하지만 시민군의 지도자인 홍수는 뭔가 미심쩍다. 계엄군이 물러나긴 하지만 이는 전략상의 후퇴였으며 오히려 시민군을 도청에 몰아넣고 폭도라는 죄명을 씌워 한꺼번에 일망타진 하려는 신군부의 계략이었다. 22일부터 광주는 수습위원회가 꾸려져 계엄사측과 협상에 들어가나 계엄사는 애초부터 협상은 안중에 없었다. 결국 협상은 결렬되고 '광주'와 '신군부'와의 최후의 결전으로 치달았다. 민우는 도청을 탈환한 후 태극기를 조기로 게양한다. 도청을 탈환하기 위해 이미 많은 동료와 동지가 죽었기에 이를 추모하고자 한 행동이다. 이는 실제 광주항쟁 당시 도청의 태극기를 조기로 게양한 것을 보고 극화 한 것이다.

5월 27일. 시민군은 총기를 챙기며 마지막 전투를 준비하고 있었고, 공수부대를 주축으로 한 계엄군은 도청 재진압작전 준비를 하고 있었다. 화력으로 무장한 진압군에 시민군의 전멸은 시간문제였다. 오후 3시쯤 애절한 시내 가두방송이 시작된다. 비장하다 못해 처절한 마지막 가두 방송이기도 했다.

"시민 여러분! 지금 계엄군이 광주시내로 쳐들어오고 있습니다. 사랑하는 우리 형제, 우리 자매들이 계엄군의 총칼에 숨져가고 있습니다. 우리 모두 계엄군과 끝까지 싸웁시다. 우리는 광주를 사수할 것입니다. 우리를 잊지 말아 주십시오. 우리는 최후까지 끝까지 싸울 것입니다. 애국 광주 시민 여러분..."

홍수와 민우는 계엄군에 맞서 끝까지 저항한다. 홍수는 민우에게 딸 신애를 부탁한다. 그러나 민우 역시 홍수의 부탁을 지키지 못하고 사살 당한다. 계엄군과 대치한 민우는 '폭도는 무기를 버리고 투항하라'에 '나는 폭도가 아니다 이 개새끼들아' 라고 울부짖으며 총알세례를 받는다. 도청사수작전에 남은 시민군은 모두가 한마디 씩 남긴다. 그들은 모두 우리를 기억해 달라고 한다. 우리는 결코 폭도가 아니며 단지 사랑하는 가족과 내 친구들을 지키기 위해 총을 든 것뿐임을 알아 달라고 한다. 시민군들이 마지막으로 항전했던 도청에 남은 사람들은 대개가 사회적으로 보면 하층계급에 속한 사람들이었다. 도시 노동자, 일용잡부, 중국집 배달원 등이 도청을 빠져 나가지 않고 끝까지 계엄군에 맞서 싸우다 죽음을 택한 사람들이다. 어디나 보면 민중이랄 수 있는 계급이 죽음 앞에 비겁하지 않고 목숨을 버릴 수 있다는 것을 광주항쟁에서도 알 수 있다.

마지막 밤을 뜬눈으로 지센 시민군들은 무슨 마음으로 그 밤을 보냈을까? 다음날이면 틀림없이 중무장한 헬기와 탱크로 자신들을 몰아 부칠 계엄군을 앞에 두고 무엇을 자문해보았을까?

아마도 역사라는 것을 의식하진 못했겠지만 자신의 싸움이 결코 헛되다고 생각하진 않았을게다. 먼 훗날 자신들이 결국 승리자라는 확신을 가졌으리라. 그래서 조금은 그들의 마지막 밤이 덜 외로웠을 것이다.

마침내 5월27일 아침 7시30분. 도청 앞마당에서는 스피커를 통해 군가가 우렁차게 흘러 나온다.도청을 비롯하여 광주 전역을 회복한 계엄군들이 우렁차게 부르는 군가였다. 광주를 진압한 전두환은 즉각 이른바 국가보위비상대책위원회를 구성하고 최규하 대통령으로부터 통치권을 탈취해 실질적인 국가 통치자로 행세하기 시작한다. 이후 5공화국이 1981년 출범한다. 그러나 광주의 학살은 끝까지 이들에게 족쇄였고 뇌관이었다. 흔히 말하는 1980년대 학생운동권의 이념적 숙주이자 도덕적 명분이었으며 모든 사회운동은 '광주 투쟁'으로 수렴되었다. 당시 서울대 총학생회장인 김민석은 '우리의 한국현대사는 광주를 극복하지 않고는 한 발자국도 전진 할 수 없다'고 미문화원점거 재판과정에서 당시 학생운동의 방향을 얘기하기도 했다. 소위86세대는 어찌 보면 광주를 보고 컸고 광주를 보며 독재정권을 증오하는 법을 배웠으며 투쟁의 동력을 수혈 받았다. 1980년대 초 빛고을 광주에서 벌어진 피의 학살은 대한민국 민주화의 밑거름이 되었고 미국이 우리에게 무엇인가를 진지하게 성찰할 수 있는 계기가 되었으며 삶을 어떻게 살아야 할 것인가 까지를 자문하는 철학적 문제제기까지 던졌다. 광주의 피는 지금의 민주주의를 이만큼 성취하는 데 결정적인 희생과 역할을 하였다. 1980년대 이후 한국사회는 광주와 함께 아파하고 탄압받고 투쟁하고 성장했으며 승리했다. 당시 김대중은 감옥에서 광주의 소식을 듣는다, 그리고 며칠간을 통곡했다. 이후 김대중은 대통령이 당선된 후 5.18희생자를 모신 묘역에 들려 유족들과 오열했다.

세월이 흘러 김영삼 정부시절 5.18특별법이 제정된다. 전두환은 무기징역, 노태우는 징역17년을 대법원에서 확정 선고를 받는다. 10개월 후 전두환, 노태우 등에게 사면 복권이 단행되고 석방된다. 그들은 아직 생존해 있다.

근현대사

〈국제시장〉

우리 아버지들의 눈물 나는 이야기

이런 영화 한 편쯤은 나올 줄 알았다. 우리의 현대사만큼 이야기 꺼리가 많은 게 어디 흔한가. 우리들의 아버지 이야기다. 온갖 고초와 고통을 감내하고 오직 가족을 위해 희생했던, 거기에 시대적 곡절까지 고스란히 떠안았던 세대. 그래서 지금의 대한민국이 이나마 배곪지 않게 번듯한 나라로 만든 장본인들의 이야기.

헐리웃에서 제작된 영화 〈포레스트 검프〉와 오버랩이 되는 영화 〈국제시장〉. 톰 행크스가 포레스트 검프 역할을 맡아 미국 현대사의 여러 이야기들을 관통하는 영화로 주목을 받았다면 이번엔 한국판 포레스트 검프, '덕수'의 이야기가 펼쳐진다.

영화는 1950년 한국전쟁으로 시작한다. 거슬러 올라 5년전 1945년, 해방을 맞은 우리는 해방과 동시에 북쪽은 소련이 남쪽은 미국이 점령하는 꼴이 되어 버린다. 해방 전 이미 카이로 회담과 포츠담 회담에서 조선의 독립을 확약하였고 해방이 되자 모스크바에 모인 3국의 외상들은 한반도에 임시정부를 수립할 것과 미, 영, 소에 의한 신탁통치를 한다는 내용의 합의문을 발표한다. 우파는 한국에 임시정부를 수립한다는 내용보다는 신탁통치를 시행 할 수 있다는 내용에 강조점을 둔다. 우익세력들은 해방된 지 얼마나 됐다고 신탁이라니 말도 안 된다며 비분강개한다. 좌파는 처음에는 반탁을 하였으나 하루 만에 임시정부 수립 쪽에 힘을 모아야한다는 명분을 내세워 찬탁으로 돌아선다. 모스크바3상 회의를 처음으로 보도한 동아일보는 한국 언론사상 최악의 오보를 내고 만다. 아직도 이 이 오보가 고의인가 아닌가에 대한 논란은 종식되지 않았다. 보도의 내용은 신탁통치를 제안한 쪽은 소련으로 되어 있으나 실제로는 미국이 먼저 제안하였다. 미국은 얄타회담에서는 30~40년의 신탁통치를 주장하였고 모스크바 회의에서 5년간의 신탁통치를 하되, 협의 하에 5년간 더 연장할 수 있다고 제안한 것이다. 반면 소련은 조선 임시정부의 수립을 제안하였다. 소련의 판단은 지금 한반도에서 잘 조직된 좌파가 있어 임시정부 수립을 위한 선거를 치를 경우 훨씬 유리하다는 판단을 한 것이다. 이런 두 진영의 주장을 적당히 절충한 게 바로 3상회의의 결정이었다. 3상회의의 결정이 발표되자 극심한 내분은 심화되어갔다. 이후 미국과 소련의 공동위원회가 열려 한국의 독립문제를 협의하나 합의점을 찾지 못한다. 우파는 이승만을 중심으로 남한만이라도 정부수립을 강행해야한다고 주장하기 시작하였고 여운형과 안재홍 등의 중도파들은 좌우합작 위원회를 두어 어떡해든 합일점을 찾아보려고 노력하였다. 좌파의 움직임도 발 빠르게 진행되었다. 박헌영 등은 이미 북조선 인민위원회의 조직을 내밀히 건설 중에 있었고 이들 역시 여차하면 북쪽만이라도 정부수립을 강행할 준비를 하고 있었던 것이다. 결국 2차 미소공위도 결렬되고 우리의 문제는 유엔으로 넘어갔다. 유엔에선 인구 비례에 의한 남북한 총선거 실시를 결의하고 한국 임시위원단을 한반도로 급파한다. 그러나 소련은 유엔의 입북을 거부하고 유엔 소총회에서 선거가 가능한 지역에서만 총선거를 실시하기로 결정해버린다. 이러다 정말 민족이 두 개로 쪼개 지는 게 아닌가 다급해진 민족주의 우파세력인 김구와 김규식은 5.10 총선거를 불과 한 달 앞두고 북한과의 마지막 협상을 위해 방북한다. 단독정부 수립만큼은 어떡하든 막아볼 우국충정의 북행이었다. 그곳에서 남북협상 공동성명을 발표하나 소련과 미국 두 나라 모두 반대하여 결국 무산되고 만다.

한편 제주에서는 단독정부 반대시위가 일어나는데 이른바 '제주 4.3사건'이 그것이다. 초기엔 좌파들의 무장봉기가 일어나나 군경의 진압과정에서 무고한 제주시민이 희생당한다. 사건희생자 신고접수 후 공식적인 희생자 수만 1만 5천여 명이었고 미신고 미확인 희생자까지 포함하면 실제적인 희생자는 더 많으리라 판단된다. 이후 노무현 정부에 이르러서야 공식적인 정부의 사과가 이루어졌다.

1948년 5월10일 남한만의 총선거가 실시되고 제헌국회가 탄생하여 7월17일에 대한민국 헌법이 제정, 공포된다. 뒤이어 1948년 8월15일 대한민국 정부가 수립된다. 대통령엔 이승만, 부통령엔 이시영이 초대 정부의 수반이 되었다.

제헌국회는 두 가지 커다란 역사적 책무를 단행해야할 목표가 있었다. 하나는 일제 잔재의 청산과 친일파 처단이었다. 이를 위해 친일파 처단을 위한 반민족 행위 처벌법 제정과 반민족행위 특별조사 위원회를 구성한다. 그러나 이승만 정부의 비협조와 경찰의 반민특위 습격이라는 초법적 테러를 통해 반민특위가 해체 돼 버리고 친일파 청산 노력이 좌절된다. 가장 아쉬운 대한민국 근현대사의 사건이며 이후 대한민국은 친일파 청산에 실패한 후유증을 지금까지도 겪고 있다. 또 하나는 농지 개혁법 제정이다. 북한은 당시에 이미 농지 개혁을 서둘러 마쳤다. 남한도 뒤이어 유상매수, 유상분배 형태로 토지개혁을 진행하여 지주계급이 소멸되고 상당수 농민이 경자유전의 원칙대로 개혁이 진행 되었다. 남한의 개혁은 다행히 6.25전쟁 발발 직 전에 극적으로 타결된다. 농민들이 백퍼센트 만족은 하지 못했지만 그래도 지주제가 소멸되고 자영농이 생겨날 수 있는 토대는 마련한 것이다. 만약 남한의 토지개혁이 6.25 발발 이후로 미뤄졌다면 농민들이 쉽게 대한민국의 편에 서진 못했을 거라고 근현대사가들은 전망한다.

정부수립 후 채 2년이 지나기도 전에 북한은 남조선 해방전쟁이라는 미명아래 1950년 6월25일 38 휴전선을 넘어 전면적인 남침을 감행한다.

사실 북한은 이미 전쟁준비를 착착 진행하고 있었으며 소련의 탱크와 무기를 앞세워 7일 만에 전쟁을 끝낼 계획을 갖고 있었다. 기습 공격을 받은 대한민국은 사흘 만에 수도 서울이 함락되고 낙동강 전선까지 순식간에 밀려 있었다. 이대로 한반도 전역이 적화 될 것인가 하는 기로에 서 있었을 때 16개국 유엔군이 참전하게 되고 총사령관

맥아더 원수의 인천상륙작전의 성공으로 대한민국은 기사회생하게 된다.

보급로와 퇴로가 막혀 당황한 북한군은 후퇴에 후퇴를 거듭하였고 한국은 마침내 9월28일에 서울을 다시 수복하고 압록강까지 진격하게 된다. 압록강에서 국군은 수통에 압록강물을 담아 이승만대통령에게 전달해 북진통일의 기쁨을 만끽하려는 순간, 중공군이 전격적으로 전선에 개입한다.

중공군의 인해전술은 정말 끔찍한 것이었다. 낮에는 동굴에 있다가 밤에는 피리를 불며 진격해왔다. 죽여도 죽여도 끝이 없었고 쏴도 쏴도 밀려오는 중공군에 유엔 연합군과 한국군은 두려움을 느낄 정도 였다. 1951년 1월4일 다시 서울을 함락 당하고 이른바 일사후퇴가 이루어진다.

영화 〈국제시장〉은 흥남부두에서 대규모 중공군의 개입으로 미군이 철수하는 장면부터 시작한다. 북한군을 피해 배를 타야만 목숨을 부지할 수 있었던 한국인들은 필사적으로 피란하는 배에 올라타야만 했다. 흥남부두는 그야말로 아비규환의 현장이었다. 미군 10만명이 군수물자 35톤을 싣고 탈출해야 하는 상황이 흥남부두에서 벌어진 것이다. 피난민 숫자는 줄잡아 십만 명에 달했다. 흥남부두를 탈출하는 마지막배 메러디스 빅토리호는 군수품을 싣는 배였기 때문에 정원이 60명밖에 탑승할 수 없었다. 이미 승무원만 47명에 다달은 상황.당시 미군 통역을 맡았던 현봉학 박사가 선장에게 눈물로 호소한다. 이 사람을 버리면 적들에게 모두 다 죽을 수밖에 없다. 제발 이 사람들을 살려달라고 호소한다. 이때 미군선장은 결단을 내린다. 배에 싣고 있는 군수품 대부분을 버리거나 폭파시켜 25만톤을 줄이고 대신 피란민을 배에 태운 것이다. 전쟁의 참상에서도 인간의 생명을 우선시한 위대한 결단이었다. 이 배는 거제도를 거쳐 부산으로 오는 동안 다섯 명의 아이가 출생하는 경사를 맞게 된다. 가장 큰 규모의 구조인원으로 기네스북에 등재되었을 정도였다. 그래서 부산 피난민 시절 전 국민이 애창했던 노래 '굳세어라 금순아'의 노래 가사는 이런 생생했던 현장을 목메어 전달해준다.

> 눈보라가 휘날리는 바람찬 흥남부두에
> 목을 놓아 불러봤다 찾아를 봤다
> 금순아 어디로 가고 길을 잃고 헤매었던가
> 피눈물을 흘리면서 일사이후 나홀로 왔다

덕수네 가족도 그곳에 있었다. 덕수 아버지는 흥남부두의 혼란 속에 잃어버린 딸을 찾기 위해 배에서 다시 내린다. 그리고 덕수에게 말한다. "이제 니가 가장이다. 가장이니 가족들 잘 보살펴야 한다." 이것이 아버지와의 마지막 만남이었다. 덕수의 눈물겨운 가장 인생은 이때부터 시작 되었다. 덕수네 가족은 부산의 고모집으로 가서 눈칫밥을 먹게 되고 그곳에 어느 정도 터전을 잡게 된다.

이후 전쟁은 휴전선을 사이에 두고 소강상태로 접어든다. 1951

년 6월부터 시작한 휴전협상은 포로문제와 국경선 문제 등으로 입씨름을 하였고 여기에 이승만 대통령의 북진 통일주장까지 겹쳐져 상당한 시간을 허비해야만 했다. 그동안 38선에서 고지 쟁탈전이 치열하게 벌어졌다. 하루가 멀다하고 능선과 고지의 주인이 바뀔 정도로 격렬한 전투가 벌어졌다. 휴전협정시 한 뼘이라도 땅을 확보하려는 양측의 교전으로 꽃다운 많은 젊은이들이 1953년 7월 휴전협정이 조인될 때까지 목숨을 잃게 된다.

전쟁이 끝난 후 한반도는 그야말로 폐허만이 남았다. 전 세계에서 가장 가난한 나라가 된 것이다. 미국의 원조로 겨우겨우 버텨낸다. 설상가상으로 이승만 정부는 연임제한의 철폐를 위한 사사오입 개헌을 자행하더니 급기야 부통령 이기붕을 당선시키기 위해 대대적인 3.15 부정선거를 저지른다. 온 국민의 분노가 하늘을 찔렀다. 4.19 의거가 그것이다. 결국 이승만은 미국으로 망명하고 장면정부가 들어선다. 내각책임제 정부 구성을 마친 장면정부는 채 1년도 되지못해 5.16군사쿠데타로 쫓겨나고 만다. 공화당을 출범시킨 군사정권은 1963년에 박정희 대통령을 당선시켜 박정희정권의 출범식을 시작한다. 박정희 정권은 무엇보다 우리 민족의 오랜 세월의 숙원이었던 '고깃국에 흰쌀밥'을 배부르게 먹어 보자는 명제를 내걸고 경제개발 5개년 계획을 추진한다. 먼저 소비재 중심의 경제 발전을 시작한다. 그러나 우리는 기술도 자본도 자원도 없다. 그렇다면 무엇으로 먹고 살 것인가? 미국은 일본과 한국이 소련의 적화야욕을 막아내기 위해 두 나라의 국교가 정상화되길 희망한다. 미국정부는 일본 정부에 압력을 가해 한국과 정식수교를 맺도록 한다. 일본은 일제 35년에 대해 사과할 뜻도 의지도 없었다. 한국정부에 대해서 아직까지 단 한마디의 사과도 하지 않았다. 그러나 한국정부는 한푼이라도 아쉬운 상황이었다. 청구권이라는 이름의 경제협력 자금(무상3억 달러, 차관 2억 달러. 이전 민주당은 최소10억 달러의 배상을 요청한바 있다)을 받는 대가로 굴욕외교의 모습을 보였다. 이에 항거한 한일회담 반대시위가 있었지만 김종필과 오히라의 밀약으로 결국 말도 안 되는 배상금액에 일제시대의 모든 배상과 보상을 퉁치고 만 것이다.

이어 박정희 정권은 곧이어 수출 주도형 정책이라는 비장의 무기를 꺼낸다. 이른바 수출 드라이브 정책은 한마디로 수출을 많이 해서 먹고 살아야한다, 그러기 위해선 상품의 가격이 낮아야하는데 제품을 만드는 공임을 최대한 낮춰야만 경쟁력이 있는 것이다. 그러기위해선 공장 노동자들이 먹고 생활 할 수 있는 싼 쌀값을 유지 시켜야 한다. 그래서 공장 노동자와 농민, 바로 그들의 희생이 한국경제 초기 경제 발전의 기초가 되었던 것이다. 또한 외화벌이의 역군도 빠질 순 없다. 영화 국제시장에선 외화벌이로 나선 파독 광부와 간호사 얘기가 나온다. 이들의 후일담을 들어보면 눈물 없이 들을 수 없는 고초와 고생담이 나온다. 당시 현장을 위로 방문했던 박정희 대통령도 광부와 간호사와의 현지 만찬에서 함께 얼싸안고 울었을 정도의 애환이 서려 있었다. 당시 한국의 국민소득은 연70달러, 광부와 간호사가 1년에 한국으로 보낸 외화는 1,200달러였으니 그들이 끼친 공을 가히 짐작하고도 남음이 있겠다. 왜 그때 우리 국민들이 서독까지 가야 했을까? 당시 우리정부의 외화보유고는 신통치 않았다. 자본이 있어야 국가 경제 부흥을 할수 있지 않겠는가? 해서 외자를 유치하기 위해 총력을 쏟는다. 문제는 우리의 국제 신인도가 매우 낮다. 돈을 빌려줄 나라가 마땅치 않다. 일본으로부터 받은 배상금가지고는 턱도 없다. 그래서 눈을 돌린 곳이 서독이다. 당시 서독도 분단국가였고 전후 폐허를 딛고 라인강의 기적을 이루기 시작한 시점이다. 그러나 서독 역시 한국의 무엇을 믿고 차관을 제공해 주겠는가? 여기에 묘수가 나온다. '우리 근로자를 서독에서 가장 필요로 하는 인력인 광부와 간호사로 보내주겠다. 그들의 임금을 담보로 우리에게 차관을 제공해 다오'이렇게 된 것이다. 당시 광부 5천명 모집에 4만 명이 지원하였고 간호사는 2천명 모집에 2만 명이 응시한걸 보면 대단한 인기였다.

1960년대 중반까지 경공업 중심의 기반을 잡아 나갔던 정부는 베트남 전쟁이라는 특수를 맞는다. 미국의 전투병 요청(브라운 각서)으로 백마부대 등을 파월했고 상당한 외화획득에도 성공한다. 그러나 여기엔 '명분없는 전쟁'이란 오명을 피할 순 없을 것이다. 미국이 베트남에게 패하고 물러간 후 월남은 패망했다고 우리 언론에 보도되었지만 베트남은 그들의 조국을 스스로 선택하고 만든 것이다. 남의 나라 전쟁에 우리의 젊은이들이 목숨을 바친 격이었던 월남전은 미국의 강력한 요청과 외화획득이라는 실익이 있었지만 우리의 젊은이들이 용병으로 가야만 했던 가슴 아픈 역사의 한 페이지이기도 했다. 이면에는 우리군의 베트남 파병으로 전쟁특수를 얻게 되고 국가 경제성장을 이룩하는데 큰 도움이 된 것도 역시 사실이다. 1964년부터 1973년까지 약 5만여 명의 병력을 베트남전에 파견하였고 그 가운데 약 5천여 명의 사상자가 발생하였다. 거기에는 우리 젊은이들의 희생이 있었다. 덕수같은 젊은이들 말이다. 베트남전으로 부상자 1만여 명과 고엽제 피해자 2만여 명은 지금도 고통 속에서 신음하고 있다.

1970년대의 산업역군을 이야기 할 때 도시 노동자들을 빼뜨릴 수 없다. 저임금과 고강도 노동을 통해 가난한 한국을 수출주도국으로 변화 시키는데 가장 큰 공도 있었지만 가장 큰 희생도 있었다. 우리가 반드시 기억해야 할 인물 전태일 이야기를 해보자. 청계피복 노동자였던 전태일은 노동환경개선과 인간답게 살 권리를 주장하며 분신한다. 당시 엘리트주의,관념적 민중주의에 갇혀있던 젊은 지식인들이 받았던 충격은 매우 컸다. '단 한명의 대학생 친구가 있었다면 얼마나 좋을까'를 입버릇처럼 되뇌였던 전태일은 정치체제에 대한 저항운동만 몰두했던 지식인들을 공장 현장으로 위장취업하게 만든다. 그의 마지막 유서다.

사랑하는 친우여, 받아 읽어 주게.

친구여, 나를 아는 모든 나여.

나를 모르는 모든 나여. 부탁이 있네.

나를, 지금 이 순간의 나를 잊지 말아 주게.

그리고 바라네. 그대들 소중한 추억의 서재에 간직하여 주게.

뇌성 번개가 이 작은 육신을 태우고 꺾어 버린다고 해도,

하늘이 나에게만 꺼져 내려온다 해도,

그대 소중한 추억에 간직된 나는

조금도 두렵지 않을 걸세.

《전태일 평전》에서 참조

1970년대를 거쳐 어느 정도 먹고 살만해지던 1980년대 초, KBS에서 우연히 특집방송을 하나 만들게 된다. 바로 이산가족 찾기 생방송이다. 당시를 기억하는 나 역시 TV를 보며 많이 울었던 기억이 난다. 왜 그 세월까지 기다려야 했을까? 왜 미리 적극적으로 찾지 못했을까? 하는 의문이 들었지만 1960~70년대는 먹고 살기에도 바쁜 세월이었다. 잃어버린 가족을 찾아 헤매기에는 시간도 돈도 부족했던 시절이었다. 그러던 차에 공영방송인 KBS가 드디어 국민의 세금으로 해야 할 일을 하나 해낸다. 덕수는 방송을 통해 당시 흥남 부두에서 잃어버린 동생을 찾게 된다. 영화로 다시 봐도 뭉클한 장면이고 우리 민족만이 겪어야하는 가슴 아픈 현실이기도 하다. 아마 어떤 눈물나는 소설, 드라마보다 더 극적이고 슬픈 조국의 아픔이었다.

〈국제시장〉은 대한민국 현대사의 굴곡진 곳에서 만나는 유명인

들도 시나리오에 잘 끼워 놓았다. 실제 월남에 참전했던 가수 남진 역을 동방신기의 유노운호(역시 목포 출신이다)가 깜짝 출연했고 이산가족 생방송을 진행했던 김동건 아나운서와 흡사한 인물을 섭외하기도 했다. 씨름선수 이만기와 고 정주영 현대그룹 회장, 앙드레김 등이 적절한 호흡에서 영화에 등장함으로서 재미와 감동을 배가 시킨다.

덕수가 다리 한쪽을 베트남에서 잃고 돌아온 국제시장은 많이 변해있었다. 자식들이 장성하여 온 가족이 함께 모이는 행복한 모습도 보인다.

덕수는 말한다 "힘든 세월 태어나가 힘든 풍파를 헤친 게 자식들이 아니고 우리가 겪은 게 다행이라고." 그러면서 흥남에서 마지막으로 헤어진 아버지의 사진을 보며 "아부지 내 약속 잘 지켰지요? 이만하면 잘 살았지요?"라고 말이다.

근현대사

〈변호인〉

산업화이어 민주화를 이룩해낸 대한민국

영화 〈변호인〉은 의외로 대박이 터진 영화다. 개봉 전에 어느 누구도 관객 천만이 넘으리라곤 예상하지 못했다. 영화 제작사 대표 역시 당황할 정도였다. 물론 송강호의 열연이 한 몫 했으리라는 판단은 할 수 있다. 영화 변호인의 주인공은 누가 봐도 불행한 죽음을 맞이했던 전 노무현 대통령이다. 호불호가 극명한 인물이고 아직은 평가하기에 이른 전직 대통령이라 관객 흥행면에서 결과가 어떨지 충무로 관계자뿐 아니라 호사가 사이에도 초미의 관심을 두고 결과를 지켜보았다. 영화 투자배급은 계속 흥행불패의 신화를 쓰고 있었던 뉴(NEW) 배급사였다. 결과는 대 성공이었다.

대한민국은 어느 나라에서도 볼 수 없는 산업화, 민주화 두 마리의 토끼를 잡아내는 기적을 이루었다. 그것도 완벽하게 폐허가 돼버린 한국전쟁을 딛고 말이다. 압축성장, 한강의 기적, 경제발전의 수식어 속에서도 우리가 더욱 자랑스럽게 생각하는 것은 최소한 남한테 부끄럽지 않을 정도의 민주주의를 스스로 이룩해 냈다는 것이다. 짧은 세월의 높은 성취다. 그러나 누군가 그랬던가... 민주주의는 피를 먹고 자란다고. 대한민국 민주주의 쟁취의 역사에는 소리없이 스러졌던 수많은 사람들의 넋이 들어있다. 저절로 이루어지는건 단 하나도 없다.

우리는 흔히 민주주의 제도를 민주주의 선진국인 외국에서 그대로 이식했다고 생각하기 쉽다. 그러나 한국의 근현대사를 조금만 자세히 들여다보면 우리의 조상들은 일제 강점기 시절부터 이미 민주주의를 접하였고 새롭게 깨달았으며 일제와의 투쟁과정에서 전일하게 실천하였고 그래서 이미 새로운 국가에 대한 청사진도 철저히 민주공화정을 건설하고자 노력함을 알 수 있다. 대한민국 임시정부의 강령이 그것이며 이후 1941년 삼균주의에 입각한 건국강령에서도 민주주의의 이념적 가치가 뚜렷이 반영되어 나타난다. 그러나 불행히도 해방 후 강대국에 의해 강제 분단이 되고 이데올로기에 갇혀 동족상잔이라는 비극을 겪고 만다. 우리 스스로 민주주의를 이 땅에 뿌리 내릴 수 있는 기회를 상실하고 만다.

한국전쟁 이후 1954년 자유당 정권은 이승만의 종신연임을 가능케 하기 위해 이른바 '사사오입 개헌'을 통해서 연임 불가조항을 초대 대통령에 한해 연임도 가능하다고 바꿔 버린다. 이에 대항하여 한국최초의 통합야당인 민주당을 발족시킨다. 우리나라 정치사에 보수여당과 보수야당의 양당체제가 성립된 것이다. 여기에 진보적 정책을 내건 조봉암의 진보당이 도전한다. 제3대 대통령선거에서 이승만과 대결하여 무려 216만표를 얻어 이승만의 간담을 서늘케 한다. 여기서 이승만은 사법살인을 저지른다. 조봉암을 위시한 진보당을 빨갱이로 덧씌우고 사형을 시켜버린다. 이때 조봉암의 죄명은 '평화통일을 주장'했다는 것이다. 당시에는 북진통일만이 선이었고 다른 주장을 펼라치면 북한 괴뢰군에 동조하는 세력으로 간주되는 시대였다. 이후 제4대 대통령선거가 치러진다. 이번에는 자유당 부통령 후보인 이기붕을 당선시키기 위해 1960년 3,15 부정선거를 자행한다. 온갖 편법과 탈법의 부정선거가 자행된다. 참다못한 학생과 시민들이 드디어 분연히 일어선다. 당시 시위에 참여한 학생이 부모님께 남긴 편지의 내용이다. 겨우 여중학생 2학년이다.

시간이 없는 관계로 어머님 뵙지 못하고 떠납니다. 어머니,데모에 나간 저를 책하지 마세요.우리들이 아니면 누가 데모를 하겠습니까?저는 아직 철없는 줄 압니다.그러나 조국과 민족을 위하는 길이 어떻다는 것을 알고 있습니다. 저도 생명을 바치더라도 싸우려고 합니다.데모하다 죽어도 원이 없습니다.어머니, 저를 사랑하시는 마음으로 무척 비통하게 생각하시겠지만 온 겨레의 앞날과 민족의 해방을 위해 기뻐해주세요.부디 몸건강히 계세요.거듭 말씀드리지만 저의 목숨은 이미 바치려고 결심했습니다.

–한성여중 2학년 진영숙양이 남긴 편지

시위대는 당시 대통령 거처인 경무대로 향하고 경찰은 비무장인 시민과 학생을 향해 총을 쏘아댄다. 극악스런 독재의 총부리가 민중의 피를 보고 만 것이다. 마산 앞바다에 떠오른 김주열 학생은 최루탄이 눈에 박힌 채의 모습이었다. 온 국민이 들고 일어난다. 바로 4.19혁명이다. 민중의 힘에 의해 할 수 없이 이승만은 하야하여 하와이로 망명하고 만다. 이후 민주당이 집권하여 경제개발 5개년 계획을 수립하고 뭔가 좀 해보려는 참에 5.16 군사 쿠데타가 일어난다. 국정의 혼란과 데모로 지새우는 병폐를 보다 못해 거사를 행하였다고 하지만 많은 사료와 조사를 통해 이미 박정희는 장면정부인 민주당 초기 집권 때부터 군사쿠데타를 모의한 것이 정설로 확인되고 있다. 박정희 군사혁명정부는 민정으로 이양되고 민주공화당을 창당하여 1963년 박정희를 대통령으로 당선시킨다.

우리는 여기서 분명히 알고 넘어가야한다. 제아무리 부정선거와 관권선거가 판을 쳤더라도 이승만 대통령이나 유신 전 박정희 대통령 모두 국민의 투표로 형식적이나마 합법적으로 당선된 사람이라는 것이다. 다시 말해 민주주의는 국민의 민도에 비례하는 지도자를 갖는다. 시대정신을 반영하는 산물이 바로 그 시대 국민들이 갖는 대통령이다.

박정희는 호기롭게 민주당이 이미 제시했던 경제개발5개년 계획과 함께 가난을 이겨보자는 새마을운동을 실시하는 한편 수출 드라이브 정책을 강도 있게 펴나간다. 여기에는 노동자와 농민의 저임금, 저곡가의 희생이 있었다.

1969년 3선 개헌까지 하여 3회 연임허용을 편법으로 통과한 박정희는 결국 돌아오지 못할 강을 건너고 만다. 시월유신의 단행이다.

요즘 박정희의 평가는 조사 시기와 조사기관에 따라 달리 나오긴 하지만 대체로 역대 대통령 인기순위를 보면 박정희 대통령을 1순위로 꼽는 조사결과가 많다. 이는 경제발전에 대한 높은 평가, 즉 우리 국민이 굶지 않고 살아가게 만든 공을 높게 보는 거다. 그러나 보다 객관적인 조사를 하기 위해서 박정희에 대한 평가는 유신전과 유신후로 나눠서 봐야 한다. 3선 개헌까지 개발도상국의 집중된 역량을 펴기 위해선 다소의 권위주의적 통치는 그럴 수 있다는 시각도 있다. 허나 유신을 선포한 이후는 71년 대통령 후보였던 김대중 후보가 예언한대로 '독재적 총통제' 국가가 돼 버린다. 한 국가의 국회의원 삼분의 일을 대통령이 임명하는 나라, 전국에 계엄령을 선포하여 민주주의의 기본 권리를 무한정 제약하는 독재 국가가 돼 버린 것이다.

결국 유신통치 체제는 몇 년 가지 못해 대통령을 지켜야할 김재규 중앙정보부장이 박대통령을 독재자로 규정하고 시해함으로서 비극적으로 종언을 고한다. 아이러니한 역사가 아닐 수 없다. 1980년, 드디어 기다리던 민주주의가 활짝 꽃피우는가 싶었다. 김영삼, 김대중, 김종필 등 정치제한에 묶여 있었던 정치인들이 해금이 되고 '서울의 봄'이 찾아 온 것이다. 국민들은 들뜬 마음으로 민주주의의 봄을 기다렸다. 그러나 그해 5월 광주에서 대학살극이 벌어진다. 박정희가 죽고 난 이후 신군부가 등장한다. 전두환, 노태우 등이 그들이다. 이들은 불법적으로 당시 정승화 육군참모총장을 영장없이 체포하고 최규하 대통령을 협박하여 권력을 찬탈한다. 이에 광주시민이 김대중 석방과 함께 민주화 일정대로 추진, 이행 할 것을 요구하며 시위에 나선 것이다. 신군부는 광주와 전남지역에 공수부대를 급파하고 민간인에게 총부리를 겨눈다. 광주의 학살이 시작된다. 당시를 다룬 영화 '화려한 휴가'는 바로 이 작전명이기도 했다. 전두환은 성공적으로 쿠데타를 완수하고 스스로 계급을 승진하여 대통령의 권좌에 앉게 된다.

영화 〈변호인〉은 바로 폭력으로 권력을 찬탈한 전두환 정부시절을 배경으로 하고 있다. 도덕성을 잃어버린 정권, 폭압으로 국민을 짓밟는 정권은 집권 기간 내내 정통성 시비에 휩싸일 수밖에 없다. 전두환 정권은 정권타도를 외치는 시민과 학생들을 빨갱이로 덧칠하며 고문해야만 정권을 지켜 낼 수 있는 반민주적 폭압적 군사독재 정권이었다. 영화는 지긋지긋한 독재치하가 서서히 뿌리 내리기 시작한 1980년대 초부터 시작한다.

세무전문 변호사 송우석, 그는 어린 시절 찢어지게 가난한 집안에서 자란다. 식당에서 밥값도 내지 못하고 도망가다 스스로 부끄러움을 견디지 못하고 구토를 하기도 하는 시절을 보낸다. 돈을 벌고 싶었고 출세하고 싶었다. 변호사 시험에 합격한 후 부산에서 자리를 잡은 송변호사는 처음에는 고졸 출신이라 하여 무시도 당했지만 어느덧 세무전문 변호사로 돈도 상당히 벌었다. 그러다가 운명의 '부림사건'을 만나게 된다. 영화 〈변호인〉은 한 속물적인 변호사가 시대의 아픔을 알고 동참하며 변해가는 과정을 담담히, 그러나 감동적으로 그려 나간 영화다.

1981년, 실제 일어난 부림사건은 5공화국 전두환 정권의 초기, 부산지역 민주화운동을 거세하기 위해 조작한 사건이다. 대학생, 회사원 등 총 22명이 구속되었는데, 죄명은 불온서적 소지 탐독과 집회 및 시위에 관한 법률 위반이었다. 이 사건을 노무현, 김광일 등 변호사가 사건을 맡게 된다. 당시 노무현은 이 사건을 접하면서 세상에 대해 눈을 뜬다. 그리고 얼마나 자신이 지금까지 자신만을 위해 살았는지를 깨닫게 된다. 재판을 맡고 난 후 노무현은 사회서적 책등을 찾아서 읽고 공부한다. 영화의 첫 번째 공판 모습에서 EH 카의《역사란 무엇인가?》라는 책이 왜 불온서적이며 빨갱이 책인지 따지고 묻는다. 러시아의 영국영사관에 근무했던 영국학자를 군사정권은 소련의 빨갱이학자로 둔갑시켜 버린다.

유시민이 읽은 책 중에서 가장 첫 번째로 꼽았던《역사란 무엇인가》의 가장 빛나는 문장을 옮겨본다.

"흔히 '사실'은 스스로가 말한다고들 한다.

이것은 물론 진실이 아니다. '사실'이라는 것은 역사가가 불러줄 때만 말을 한다.

어떤 '사실'에게 발언권을 줄 것인가, 또 어떤 순서(order)로 어떤 맥락(context)에서 말하도록 할 것인가를 결정하는 것은 역사가인 것이다.

'사실'이라는 것은 자루와 같다. 그 속에 무엇인가를 넣어주지 않으면 사실은 일어서지 않는다."

–《역사란 무엇인가》 중에서

아무래도 변호인의 명장면은 네 번째 공판 장면이 될 것 같다. 우리나라 법정씬은 재미없기로 소문이 났다. 긴장감도 치밀함도 보이지 않기 때문이다. 한국영화중 감동적인 법정씬은 바로 송우석 판사가 고문을 자행한 고위 경찰 간부에게 분노하는 장면일 것이다.

'대한민국의 주권은 국민에게 있고 모든 권력은 국민으로부터 나온다.'

송강호 정도의 배우가 연기하지 않았다면 다소 손가락이 오글거리고 낯뜨거울 수 있는 말이다. 그러나 눈물 맺힌 송변호사의 호소력 실린 변호를 통해 듣는 순간 우리는 잊고 있었던 너무나 평범했던 진리를 뒤늦게 발견하고 가슴이 먹먹해지고 만다. 영화의 영향 때문인지 '대한민국은 민주공화국'이란 구호는 이후 광화문 촛불집회 등에서 자주 등장하였다.

변호인 송우석과 한판 대결을 한 차동영 경감도 이 영화에서 빼놓을 수 없는 조연이다. 단순한 조연에 머물지 않고 주연을 더욱 빛나게 했던 사람이다. 차경감은 철저한 반공주의자이며 수구세력의 앞장이 역할로 나온다. 그에게는 어떤 논리나 설득이 필요 없어 보인다. 그냥 빨갱이면 빨갱이고, 빨갱이는 무조건 때려잡고 봐야 직성이 풀리는 인간이다. 사람이 어찌 저럴 수 있나 싶어지지만 그도 가만히 들여다보면 나름의 히스토리는 있다. 그의 뿌리는 대지주 집안이며 친일세력이었다. 그의 선친은 일제에 부역을 했거나 말단 행정직이나 경찰직을 맡았을 가능성이 높다. 해방이 되자 이들은 반공주의자가 된다. 이념적 반공주의자가 아니다. 자신의 기득권과 재산을 공산주의자들이 빼앗으려 하자 저항하기 위한 수단으로 반공을 선택한다. 북한에서 먼저 실시한 토지 개혁은 많은 지주들을 월남하게 한다. 소위 자유를 찾은 월남인들이 철천지 원수로 북한 공산주의자들을 지목하는 이유가 여기에 있다. 빈털터리로 대한민국을 찾은 북쪽의 지주세력들은 악착같이 돈을 벌기 시작하여 부를 형성해 나간다. 그들에겐 공산주의자는 뿔 달린 빨갱이 이상도 이하도 아니다. 그래서 좌파나 좌익만 보면 히스테릭한 반응을 보이는 것이다. 반공만 해주는 정치인이라면 그가 독재자건 살인자건 가리지 않고 지지해준다. 차동영 경감은 그런 사람이고 차경감 같은 사람은 아직도 우리 주위에 많이 있다.

1980년대는 국가권력을 무력으로 찬탈한 일부 군인정치 세력과 이를 도덕적, 정치적으로 용납하지 못하는 민주주의 세력과의 일대 결전이었다. 힘과 폭력으로야 당해 낼 수 없지만 민주화 세력은 온몸을 바치며 항쟁하고 투쟁하였다. 1980년대 초 폭압적 독재정권에 대항한 세력은 온몸을 희생하며 맞선 학생운동권이었다. 1980년대 중반을 넘어서자 전두환 정권의 소위 유화 국면이 지속되고 학생운동권에서도 합법적 공간에서 조직적 대오를 결성하기에 이른다. 전학련(전국대학 총학생회 연합)을 건설하고 산하에 삼민투(민족, 민주, 민중투쟁위원회)를 두어 지속적이고 조직적인 투쟁을 전개해 나간다. 84년 2.12총선을 통해 당시 야당인 신민당이 약진하여 집권당인 민정당을 압박하기 시작했고 이후 민정당사 연수원 점거농성투쟁에 이어 85년 미문화원 점거농성 사건은 대학별 연계(서울대,연대,고대,성대,서강대)를 통해 미 문화원이라는 상징적 기관을 점거하여 외신의 주목을 받는다. 광주민주화 항쟁 때 미국의 역할에 대한 문제제기를 처음으로 우리 사회에 던졌으며 이는 재판과정에서 반미 용미 논쟁과 더불어 우리에게 미국은 무엇인가?를 묻는 계기가 된다. 다음해 일어난 건국대사태에서는 천여 명의 학생이 구속되는 사법사상 단일사건 최고의 구속학생수를 양산한다. 전국적으로 민주화 인사들에 대한 검거열풍이 불게 되고 김근태 민청련의장 등 재야 민주인사를 영장없이 구금 체포하기 시작한다. 당시 안기부와 경찰의 민주인사들에 대한 고문을 소재로 영화로 만든 '남영동'은 전두환 정권의 독재권력이 최고조에 달했을 때 일어난 사건을 극화한 것이다. 투옥과 분신항쟁, 그리고 계속되는 시민, 학생의 연행과 구속은 이제 폭력적 기구를 통해서만이 정권을 유지할 수밖에 없게 된다.

1987년, 새해 벽두부터 터진 박종철군 고문사 사건은 일파만파 커져만 갔다. '탁치니 억하고 죽었다'는 검찰의 발표를 누구 하나 믿지 않았고 남영동 대공분실에서 물고문으로 결국 죽게 되었다는 사실이 밝혀졌다. 서서히 그러나 거대하게 그동안 억눌렸던 민심이 터져 나왔다. 〈변호인〉의 마지막 장면은 송우석 변호사가 박종철군 추모집회를 주도하는 모습이다. 지긋지긋했던 최루탄과 일명 지랄탄 세례에도 송변호사는 끝까지 움직이지 않고 구호를 외친다. 평화적 추모모임을 밝히고 탄압을 즉각 중단하라고 외친다. 이후 민주헌법

쟁취 국민운동을 중심으로 직선제 쟁취 및 민주화를 외치며 가두로 진출하였고 그동안 조용히 지켜봤던 시민세력이 합세하게 된다. 학생운동세력의 양대산맥이었던 자민투(자주, 민주에 방점을 둔 세력)와 민민투(민중, 민주에 중심을 둔 세력)도 1987년 6월 항쟁에는 모두다 하나로 뭉쳤다. 항쟁 기간 동안 시위 도중에 연세대 이한열 학생이 최루탄을 머리에 맞고 죽는 참사가 일어난다. 결국 당시 민정당 대표였던 노태우는 직선제를 받아들이고 국민 앞에 백기를 든다. 1987년 12월에 대선이 치러지나 양김 씨의 분열로 민주정부 수립에는 실패하고 만다. 그러나 노태우 정부에 이어 우리 역사상 최초의 문민정부인 김영삼 정부에 이어 정권교체를 이루어 낸 김대중 정부, 그리고 마침내 〈변호인〉의 주인공 노무현이 대통령에 당선된다.

이제는 고인이 된 전 노무현 대통령. 한 평범한 변호사에서 사회의식에 눈뜨게 된 운동권 변호사로, 다시 국회의원에서 최고의 권력의 정점인 대통령까지의 이야기는 하나의 드라마임에 틀림없다.

영화 〈변호인〉은 노무현의 전 일생 중 '더불어 살아가는 사회'라는 의식을 깨닫는 부림사건에 집중한다. 결과적으로 흥행과 작품성 둘 다 얻게 된다.

노무현 전 대통령이 전국적 인물로 뜨게 된 계기는 1988년도 헌정사상 처음으로 치러진 5공 비리와 광주학살 진상규명 청문회에서다. 당시 국회의원들은 증인에게 윽박지르고 고함만 쳤지 실체적 진실 규명에는 접근하지 못한 답답함이 계속됐다. 노무현은 여기에서 발군의 실력을 발휘한다. 대재벌의 총수인 정주영 증인에게는 벼락 같은 호통을 치는가 하면, 장세동(전두환 정권시 안기부장)에게는 거짓말로 증언을 일관하는 모습에 오히려 인간적 연민을 느끼는 표정으로 애태워하면서 차분하고 엄정하게 질문해 나갔다. 부산의 노무현에서 전국구 스타 노무현이 탄생한 것이다. 당시 언론에서는 청문회스타 노무현이 대서특필된다. 이후 지역감정 청산을 위해 당선이 확실한 지역구를 마다하고 여당의 텃밭인 부산에서만 세 번 낙선하면서 바보 노무현이라는 별명도 얻게 됐다.

마지막 한 가지 에피소드. 1987년 6월 항쟁이 한창인 시기, 연세대 노천극장에서 연합집회가 열렸다. 여기에 초청 인사로 온 노무현 의원은 다른 여느 연사들과는 다르게 차분한 어투로 연설을 시작했다. 필자는 당시를 생생히 기억한다.

"여러분, 고생 많으시지요. 여기 계신 학생들은 모두 다 좋은 대학 다니는 엘리트입니다. 헌데 난 고등학교밖에 안 나왔어요. 지금 보니 독재하는 분들 중에 명문대 출신이 참 많습디다. 여러분, 지금 여러분 맘하고 제 맘하고 똑 같습니다. 그러니 나중에라도 나이 먹더라도 변하지 마소. 끝까지 지금 이 마음 잘 지켜서 훌륭한 나라, 민주주의 기똥차게 하는 나라 만듭시다."

생뚱맞은 초선의원의 연설에 분위기가 가라앉았지만 왠지 모를 여운이 꽤나 남는, 지금 생각해보면 명연설이었다.

노무현은 한국정치사에서 의미 있고 특별했던 대통령임에 틀림

없다. 그리고 영화 〈변호인〉은 그가 시대적 부채의식을 짊어지기 시작하고 그 과정을 감내하면서 비로소 빛이 나기 시작했던 시절의 이야기이다. 대통령이 된 건 어쩌면 그의 삶에 덤이자 부담이었는지 모른다.

나의 한국사 편력기
교양인이라면 놓칠 수 없는 영화 속 명장면

1쇄 인쇄 | 2016년 4월 05일
1쇄 발행 | 2016년 4월 15일

지은이 | 박준영
발행인 | 김은중
발행처 | 서울경제경영출판사
본문디자인 | 김미영

주소 | 03367 서울특별시 서대문구 신촌로 205 대현빌딩 6층
전화 | 02-313-2682
팩스 | 02-313-8860
출판등록 | 1998년 1월 22일 제5-63호

ISBN 978-89-97937-46-2 93919
정가 | 15,000원